S0-AJO-044

「科幻推進實驗室」的誕生

雖然生物技術已經越來越高深
可是《科學怪人》的憂慮卻似乎離我們越來越近

雖然「一九八四」已經過去二十幾年
可是人類卻好像越來越走向《一九八四》

偉大的科幻心靈就像宇宙中原子聚合的恆星
發光發熱，照亮銀河中黑暗的角落

「科幻推進實驗室」立志要集合這些既精采又深刻
既娛樂又啟發的科幻傑作，逐年出版

把科幻推進到這個社會
讓我們享受這些非凡想像力所恩賜的心靈奇景

讓我們在娛樂中獲得啟發
在通俗中得到智慧

這就是「科幻推進實驗室」誕生的目標

死亡考試

倪匡科幻獎作品集（四）

葉李華　主編

交通大學科幻研究中心、貓頭鷹出版社　聯合出版

倪匡科幻獎作品集 4　　ISBN 978-986-120-578-6

死亡考試：倪匡科幻獎作品集（四）

主　　編　葉李華
責任編輯　曾琬迪
協力編輯　陳意淳
校　　對　魏秋綢
版面構成　謝宜欣
封面設計　郭佳慈

總 編 輯　謝宜英
社　　長　陳穎青
出 版 者　交通大學科幻研究中心、貓頭鷹出版社聯合出版
發 行 人　涂玉雲
發　　行　英屬蓋曼群島商家庭傳媒股份有限公司城邦分公司
104台北市民生東路二段141號2樓
劃撥帳號：19863813；戶名：書虫股份有限公司
城邦讀書花園：www.cite.com.tw
購書服務信箱：service@readingclub.com.tw
購書服務專線：02-25007718~9（週一至週五上午09:30-12:00；下午13:30-17:00）
24小時傳真專線：02-25001990~1
香港發行所　城邦（香港）出版集團／電話：852-25086231／傳真：852-25789337
馬新發行所　城邦（馬新）出版集團／電話：603-90563833／傳真：603-90562833
印 製 廠　成陽印刷股份有限公司
初　　版　2011年3月
定　　價　新台幣280元／港幣93元

讀者服務信箱　owl@cph.com.tw
貓頭鷹知識網　http://www.owls.tw
歡迎上網訂購；大量團購請洽專線02-25007696轉2729

城邦讀書花園
www.cite.com.tw

國家圖書館出版品預行編目資料

死亡考試：倪匡科幻獎作品集（四）/ 葉李華主編.
—— 初版.—— 臺北市：貓頭鷹, 交通大學科幻研究中心出版：家庭傳媒城邦分公司發行, 2011.03
320面；14.8 x 21公分 .——（倪匡科幻獎作品集；4）
ISBN 978-986-120-578-6（平裝）
857.83　　100000237

■代序

一段科幻緣

第一次見到葉李華，是在十多年前台北的一場讀友會上。那時他剛大學畢業，正準備出國讀書。我會對他印象深刻的原因，是他對衛斯理、原振俠等人物如數家珍，幾乎把他們當成了親人。

從此以後，他就常常寫信給我，還不時提些匪夷所思的想法，希望我能寫進衛斯理故事中，結果他這項心願，最後還是功敗垂成。（事情的詳細經過，我寫在《招魂》的自序裡面。）

不久他去了美國，在著名的柏克萊大學攻讀物理學博士。原本只是科幻迷的他，當了留學生之後，不知何時動筆寫起科幻小說來。讀完他寄給我的第一篇創作，令我最高興的一件事，是他這個衛斯理迷筆下竟然沒有衛斯理的影子。

接下來的幾年，他對科幻創作越來越投入，不但每年參加科幻比賽，還利用暑假回到台港，為一份科幻雜誌《幻象》四處奔走。《幻象》創刊的同時，他也得到了中國時報的科幻首獎，可以說是雙喜臨門。碰巧那年我也是評審，我們在選出得獎作品後，主辦單位隨即公布得獎者（評審過程中作者是匿名的），我一聽竟然是他，高興得差點從沙發上跳起來。

也許是得獎帶給他的鼓勵，葉李華把過去幾年寫的科幻小說整理一番，準備出書《時空遊戲》。在我幫他寫的那篇序裡，有這樣一段話：「這位小朋友的科幻小說，最好的地方，是有他自己的風格，在一開始，就堅持這一點，這使人可以預言，他在科幻小說的創作上，必然會有大成。」

然而這回我卻料錯了。出了自己第一本科幻小說集以後，葉李華並沒有再繼續科幻的寫作。並不是他對科幻的熱情減退了，而是他另有一番抱負，打算藉著其他方面的努力，來提升中文科幻的風氣。

暫且不談葉李華其他方面的努力，先談談我和他怎麼變成鄰居的。

一九九二年秋天，我離開香港，移民美國三藩市。原本我打算息交絕遊，不料數個月後，就被積極尋找我下落的葉李華找到了。也算是有緣，他居住的柏克萊市，和我距離只有四十幾分鐘車程。當時他即將拿到博士，卻說畢業後打算做些不一樣的事。從此他便常開車來找我，我們成了無話不談的忘年之交，前後有四年多的時間。

這四年多的時間，他一直在做科幻翻譯的工作。據他的說法，是希望把外國的經典科幻有系統地引進華文世界。我不只一次提醒他，應該繼續科幻的創作，但他卻不為所動，似乎在翻譯工作中自得其樂。幾年很快過去了，他翻譯的那套「艾西莫夫」總算大功告成。（在此期間，我自己的寫作方式有了「大躍進」——從手寫直接進化到聲控電腦，葉李華也從小友升級為我的電腦啟蒙老師。這段經過頗為曲折離奇，有機會的話，也許該為文一記。）

然而台港中文科幻的閱讀風氣，在這幾年間卻越來越低落。於是在那段日子裡，我和葉李華有過以下的對話。

「為什麼中文科幻，一直不能有武俠小說那樣的高潮？」

「當年有多少人寫武俠小說，你絕對難以想像。寫的人多，看的人自然也多。」

「科幻作家本來就不多，這幾年，連您自己也寫得少了。」

「我已經六十好幾，已經半退休了。而你才三十出頭，應該好好努力一番。」

「我一個人寫，起得了那麼大的作用嗎？」

「起碼你不該像我一樣隱居美國，應該回台灣去，振興一下中文科幻。」

「回台灣……好，我可以回去，只要您答應一件事。」

「什麼事？」

「您要做我的後盾。」

「那有什麼問題！」

沒想到兩三個月之後，葉李華真的回台灣去了。這三、四年來，我們仍然保持密切聯繫，而他每次總有捷報傳來。例如他到許多學校去做科幻演講，例如他成功地利用各種媒體推廣科幻，例如他的「科科網」串聯了台港老中青三代的科幻小說家，例如他成為「台灣第一位科幻教授」，例如他策畫的「天下文化科幻系列」（我和張系國擔任榮譽顧問）至今已出版了七、八本書。

今年，葉李華更上一層樓，負責為他任教的交通大學，籌辦一個網路上的中文科幻大賽。非常感謝主辦單位捧場，將這個比賽命名為「倪匡科幻獎」。作為一個每天上網七、八小時的網民（很多時間是花在瀏覽有關衛斯理的討論），自然欣見網路成為推廣科幻的另一個重要管道。在中國時報和幾家重量級協辦單位的支持下，我相信這個比賽一定辦得有聲有色，成為二十一世紀中文科幻的起跑點。

※　※　※

葉李華有一次寫道：「倪匡為中文科幻長跑了三十幾年，千萬的華人讀者就是他手中的棒子。這根棒子早晚要交出去……」對中文科幻有熱情、有理想的小友們，來接棒吧！

倪匡・二〇〇一〇三一四一四〇一二七

（原載二〇〇一年四月一日中國時報人間副刊）

目次

死亡考試：倪匡科幻獎作品集（四）

附錄

第九屆倪匡科幻獎

死亡考試

名次：首獎

丁丁蟲

1

七月的新上海，天氣格外的熱。上午七點剛過，太陽就從地平線上惡狠狠地跳出來，把存了一個晚上的光線一股腦倒在毫無遮擋的柏油馬路上，唯一可以聊作安慰的是路邊好歹還算有點遮蔭的地方，比如車站旁邊就生著幾棵小樹，不過那都是馬路拓寬之後新栽下去的，比一次性筷子粗不了多少。原先這裡倒是生了一排一個人抱不過來的大樹，據說都是長了將近百年的，可惜這些老樹都在城市道路拓寬工程裡給砍了個精光。

老剛沒站在樹蔭裡。等車的人挺多，先來的幾個年輕人已經占了那一點少得可憐的樹蔭，老剛也就不想去和他們擠在一起，寧願多曬曬日頭。時光倒轉五十年，自己曬日頭的時候難道少了麼？

車來了。剛一進站，還沒停穩，車站上的人便一窩蜂湧了上去。

老剛猶豫了一下，一個人慢慢退到樹蔭下面。

他捨不得坐空調車。

坐一趟普通公交車只要一塊錢，坐一趟空調車要兩塊錢。還是省省好。

旁邊有個老人也踱了過來。他和老剛一樣，都穿著件洗得發黃的白襯衫，下身穿著條藍布褲，腳上是一雙草綠色的解放鞋。這老人的頭髮也是剃得短短的，一根根朝著天豎著，其中大半都白了。看起來怕是不比自己年輕啊，老剛心裡想。

「報名去啊，老伙計？」那個老人站到樹蔭下面，從上衣口袋裡掏出塊手帕，擦了擦額頭的汗。那手帕是用毛巾裁的，洗得乾乾淨淨，邊上還細細檵了一道邊。大概是兒媳婦給做的吧，老剛下意識地摸了摸口袋裡自己的手帕。

「嗯，是啊。你也是？」

「到哪兒報名？寶興殯儀館？」

「嗯……是啊。」老剛回答的時候猶豫了一下，他到底還是不習慣把殯儀館三個字掛在嘴邊。

「寶興館不錯，」老人沒注意老剛的猶豫，自顧自地往下說，「收費不算高，服務也不錯，我聽老鄰居的孩子說了，他們館裡的一條龍服務論項目不比外面的少，論價格可比外面便宜多了，到底是新民黨辦的實事項目啊。就是有一樣，太難考了。我去年考過一回，都過了統燒分數線，可還是沒給收進去。不過話說回來，我要是去年給收了，現在還能跟老哥你說話嗎，哈哈。」

「哈哈，哈哈，」老剛附和著笑了幾聲，笑聲落在自己的耳朵裡，都覺得乾澀得很。他問，「那你是去哪兒？」

「我去城西的普陀殯儀館，聽說那邊人少，可就是服務不怎麼樣。什麼壽衣壽褲都要自己穿好了進去，價錢也貴，一個小告別廳半個鐘頭就要三百點，唉，我跟兒子說了，我要是考上了，一不要遺體告別，二不要保存骨灰，都沒意思！有啥意思？都是虛的！難不成還想轉生再活一回？可你說但凡對世道有點留戀咱還能自己尋死麼？給孩子們多留點錢才是硬道理，老哥你說是不是？」

「你也是重孩子的人啊。」

「那當然了，不然誰考它個雞巴！自己找根繩子勒死拉倒，多省事！不就是想著自己蹬腿容易，剩下孩子們可就要受苦了，這才受它的鳥氣去報名考試幹這堆爛事嗎？不過話說回來，這些小子一個個都沒良心得很，你拚死拚活考一個火化名額出來，誰感激你？一個個都說你是自己找死——你說，我又不是腦子有毛病，要是能活得好好的，我幹嘛找死去？」

老剛點點頭，正要說點什麼，抬頭剛好看見又有兩輛汽車開進了站。前頭一輛是空調5路車，後頭一輛正好是老剛要乘的13路普通車。

「呀，老伙計，我的車來了。你坐哪趟的？」

「我坐是坐5路車，」老人看看前頭那一輛車，搖搖頭，自嘲地笑了笑，「不過空調車就算了。能省一點算一點，老哥你說是不是？」

2

早上七點出門，坐一個小時的車趕到寶興殯儀館，排一個半小時的隊領報名表，花半個小時找寫字的地方，再排一個小時的隊交表。一直弄到將近中午十二點，老剛終於把報名的手續辦完了。

殯儀館報名處還是黑壓壓的人山人海，都是花白頭髮的老年人，很少有年輕人在。也是，年輕人都要上班掙錢，也只有像老剛這樣退休了好久的老人才有大把大把的時間浪費在排隊報名上。

老剛從人群裡奮力向外擠，雖然報名大廳裡開著空調，可等老剛擠到門外也已經一身的汗了。他在一棵梧桐樹的樹蔭下面站了一會兒，喘了會兒氣，從上衣口袋裡掏出手帕想要擦擦臉，不小心把口袋裡的老人證帶了出來，啪嗒一聲掉在地上。老剛彎下身子，撿起地上的老人證，在大腿上撣了撣灰，翻開綠色的小本子，看看裡面的紙條還在不在。

老人證的全稱叫做「六十歲以上老人優待證」，早幾年坐公交車憑這個證可以免費的，不過這幾年公交制度改革，把這項優惠取消了。老剛之所以天天把這個證帶在身上，只是因為他把兒子的聯繫方式都給記在紙上放到它裡面了。萬一自己出門的時候遇到什麼意外，路過的人至少總能知道該給誰打電話吧。

老剛看過紙條還在，把老人證放回口袋裡，然後把手帕攤開，仔仔細細擦了一把臉。這手帕也是用毛巾裁的，洗得乾乾淨淨，邊上也細細橇了一道邊，不過不是兒媳婦做的，是他老著臉求門口做裁縫的小媳婦給做的。說起來也不是兒媳婦不給他做，只是媳婦工作忙，而且又剛懷了孩子不久，不忍心再給她加事情。唉，自己為子女著想，誰又為自己著想，可憐天下父母心啊——老剛這是又想起早上碰見的那個老伙計，在心裡把沒來得及說的話給補上了。他又歇了一會兒，然後咬咬牙，一頭扎進火辣辣的太陽光裡。

到車站的路似乎比來的時候要長許多。老剛好容易捱到車站，正看見有輛普通車進站，老剛趕忙跑了幾步，搶在關車門之前上了車。車門哐當一聲在他身後關上，差點夾住他的腿，然後還沒等老剛站穩，汽車就猛地發動起來，幸虧老剛及時伸手拉住了扶手，這才保持住平衡沒有摔下去。

車廂裡倒還不算太擁擠，只是座位都給坐滿了。老剛隨著汽車的顛簸一點一點蹭到老弱病殘專座前面，這位子上坐著一個小傢伙，大約是趁著放暑假出去玩兒的，看見老剛上來，趕忙把頭扭著向窗外，閉上眼睛養起神來。老剛見慣了這一幕，倒也沒覺得有什麼不滿，只是拉住了欄桿，任著汽車顛簸著。

汽車終於到了站，老剛正要下車，可是剛走下一級台階的時候就覺得腿上軟軟的沒什麼力氣，等到一條腿踩在地上，另一條腿還在車上的時候，老剛的腿不知道怎麼就突然軟了下來，恰好這時候汽車又猛地向前一衝，老剛的身子被汽車往側面一帶，一下子撲倒在地上，然後就什麼都不知道了。

3

下午一點來鐘的時候，病房裡面靜悄悄的。老剛斜躺在床上打瞌睡，迷迷糊糊的也不曉得睡了多長時間，倒是接連做了好幾個夢，其中只有一個夢老剛記得清楚，在夢裡他又回到年輕的時候，扛著槍正跟著連隊往敵人的陣地上衝，不知道怎麼一轉眼周圍就全沒了人，光是子彈在自己耳朵邊上嗖嗖地亂飛。老剛正摸不清方向，忽然腳下絆著個什麼，低頭一看，是自己連隊的指導員倒在地上，老剛趕緊俯下身子扛起他往回跑，跑著跑著，腿上一疼，就像給個大錘子狠狠砸在腿上一樣，連自己帶身上扛的指導員都摔了下去。

老剛猛地醒了過來，身上黏黏的出了一層汗。那一次他正是大腿上挨了一槍，硬是靠一股精神把指導員背下了戰場。後來戰地醫院的大夫說，幸好那一槍沒傷到骨頭，不然拖著一條腿走上好幾里路，他這條腿可就廢了，更別說還背著一個人了。

正在這時候，病房外面忽然嘈雜起來，像是有什麼人在外面起了爭執似的。病床上躺著的人紛紛醒了過來。靠門邊的一家的兒子站起來，輕輕開門溜出去，只留下一道小縫，外面的聲音就從門縫裡傳進來。老剛隱隱約約聽見似乎是有個人在哀求著醫生，說著什麼「大夫，您不能寫啊，我求求您了，您可不能這麼寫啊」，然後又有一個聲音，估計是醫生的人回答說，「你別跟我磨蹭，早幹什麼去了！你叫我不寫，我能不寫嗎?!這麼多人都看著，我不寫，給舉報了我是要受處分的！」先前求醫生的人好像也說不出別的什麼，只會一個勁的懇求著說，「大夫，行行好，不能寫啊，寫了我們這日子還怎麼過啊。」

老剛沒聽見醫生再說什麼，只聽見腳步聲急匆匆地從門口過去，漸漸遠了。再過一會兒，靠門邊的那家的兒子悄悄溜了回來。病房裡一群人全都圍了上去。

「怎麼回事？外頭怎麼了？」

「唉，還能怎麼回事，死了一個唄。」

「死了？在醫院裡？」一群人面面相覷，臉上都掛起了物傷其類的不安。

「那死了人的這一家，有沒有考個名額出來？」

「怎麼可能考出來麼——你們也都聽見剛才那家人怎麼求大夫的了，這家人要是有名額，至於求成那樣嗎？」

「哎呀，沒有拿到名額就死了，這家往後的日子可怎麼過呀？」

「該怎麼過怎麼過，最多當年社會補助降級唄。」

「你說的輕巧。要是當年一年就好嘍，是連續十年！」

「十年？這麼長？」

「是啊，而且每年都按最低生活保障線的標準來，不管你原來是什麼級別。」

「這麼厲害？我一直以為是一年，而且是只降一級……話說回來，你們家的都考出名額來沒有？」

這個問題提的似乎有點不合時宜，病房裡剛剛還熱熱鬧鬧討論著的人們，一時間全都安靜了下來。老剛本來躺在一旁的病床上，並沒有加入到其他人的討論裡去，可是聽到鄰床的家屬提起名額的事，心裡也是咯噔了一下子。

自己的名倒算是報過了，可真能考出個名額來麼？

4

老剛下了電梯，兒子和兒媳都跟在後面。到從掛號廳裡出來、下台階的時候，兒子搶上來，把手上的袋子都並到一起，騰出一隻手，攙住老剛。老剛忍了許久的火一下子冒起來，他猛地一甩手，罵道，「老子不用你扶！」

「爸……」

「我跟你說我自己能走，你管好你自己就行了！」老剛一面大聲罵著，一面自己騰騰騰走下去。兒子不敢再伸手，只好跟在後面走下去。老剛一口氣往前走，眼看走到醫院門口的時候，終於覺得自己的氣實在喘不上來了，不得不停下來喘一會兒氣。

這時候太陽正從對面的樓房後面照過來，在老剛腳前映出一道黑黑的邊。老剛微微抬起頭，瞇著眼睛往對面看，只見馬路對面是一堵牆，牆後是一座嶄新的高樓，那是新華東醫院的幹部病房。大樓的外牆鋪著光潔的大理石，上面鑲著「新華東醫院」五個大大的金字。金字的旁邊從樓頂往下垂著一條大紅布條，布條上寫著「熱烈祝賀由本院黑信求恩教授主刀的本市首例多器官移植手術圓滿成功」。

「娘西比！」老剛罵了一句從部隊裡學來的粗話，「圓滿成功圓滿成功，你們他媽的賺了老百姓多少黑心錢?!」

正罵著的時候，前面馬路上突然拐進來一輛車，是輛黑色的東方紅，司機顯然沒想到醫院門口會站著人，猛地一個急剎車，車輪擦著地面，帶著刺耳的噪音又向前衝了好幾米，最後將將在老剛面前停了下來，好歹算是沒碰到他。

老剛的兒子和媳婦都嚇了一跳，急忙搶了上來，老剛自己也嚇得不輕，他定了定神，指著車裡的人大聲地罵，「你他媽怎麼開車的？到醫院裡還開這麼快，你不想活了?!撞死人你給償命啊?!」

兒子叫了一聲「爸」，插進來問，「你沒事吧？」

老剛搖搖頭。他罵得急了，有些喘不上氣，便住了口喘了一會兒，卻看見東方紅後排的車窗給搖了下來，從裡面探出一張臉，臉上和自己一樣布滿了皺紋，也長著不少老人斑，頭髮卻不像自己的花白，還是烏黑烏黑的，臉上的氣色也是不錯的模樣。這張臉盯著老剛看了一會兒，忽然喊了一聲，「是剛志武嗎？」

老剛愣了一下，仔細端詳著探出車窗的那張臉，猛然間想起自己住院的時候做的那個夢。他試探著問，「指導員？」隨著這一聲喊，他看見那張臉上的皺紋都皺起來，這才興奮地叫起來，「指導員！真的是你！指導員！」

「是啊，是我啊，自從你退了伍，咱們有多少年沒見了？說起來，我這條命還是你給揀回來的啊。這些年我一直都在找你，可是三十年前失去聯繫之後就沒了你的消息，沒想到今天在這裡遇上了，咱們今天要好好聊聊，好好聊聊。」老剛的指導員越說越激動，看樣子就要從車上下來，可就在他打開車門的時候，前面的司機扭過頭攔住了他。

「首長，您和醫生約好的時間……」

老剛聽到司機的話，登時明白過來，趕緊接上去說，「指導員，約好了時間還是快去吧，如今的醫生一個個難伺候得很，讓他們等久了可沒有好話聽。咱們另找時間聊就是了。」

老剛的指導員看看司機，又看看老剛，點了點頭，說，「那好吧，」他向著司機說，「小李，把我的地址和電話給——」老剛的指導員頓了一下，「我是該喊你老剛了吧？哈哈，記得以前在部隊的時候，我一直小剛小剛的喊你，想不到一晃這麼多年過去嘍，你這當年的小傢伙，頭髮也白了啊。」

老剛的胸口像是堵著什麼東西似的，一時說不出話來。愍了半晌才說，「你看上去倒是還年輕，一點都不顯老……」

這時候司機放下了車窗，從窗口遞出了一張名片。老剛接過來，轉身交給兒子，讓他好好收著。

「你兒子？不錯不錯，都長這麼大了。」

老剛說，「快喊伯伯」，兒子有點不好意思地叫了一聲。

「嗯，嗯，」指導員一面點著頭一面說，「有空多聯繫，咱們找個時間好好聊聊。」

司機按響了喇叭，東方紅朝著嶄新的高樓緩緩開去。火辣辣的陽光照在鏡子般光潔的黑色車身上，把站在車邊注視著汽車開動的老剛晃得睜不開眼睛。

5

臨近吃飯的時間，老剛坐在客廳的沙發裡，半閉著眼睛聽著電視裡新聞聯播的聲音。電視上正放著新聞概要，先是一個柔和的女中音在說「中科院克隆人培植技術取得突破性進展，成活率已超過百分之七十七」，然後換作男中音說「和諧社會建設再結碩果，人口死亡率又創新低」——「娘西比！」老剛忍不住罵了一聲。新聞裡說起來總是輕巧得很，可又有誰知道死亡率新低的背後是多少辛辛苦苦地捱著日子過的老傢伙？

「爸，」兒子推門進來，還在門口的時候就先喊了一聲，「有你的信。」

「我的信？」老剛應了一聲，心裡有點奇怪。他從兒子手裡接過信，隔著鏡片，看見那是個大號的牛皮紙信封，信封上貼著一張白紙，白紙上打印著自己的地址。

「大概又是什麼假藥的廣告吧，這年頭，假藥廠比老子自己都清楚我家的地址，」老剛一邊嘀咕，一邊撕著信口。牛皮紙的信封挺結實，老剛撕了好幾下才撕開。

信封裡面的東西讓他怔住了。

掉出來的是一張賀卡一樣的硬版紙，版紙的外面是漆黑的顏色，四周都燙著金邊，版紙中間浮凸著五個字，也是燙了金的，寫的是：

火化通知書

老剛急急翻開內頁，只見裡面是雪白的紙，紙的四角印著菊花的圖案，雪白的紙片中間用漆黑的鉛字赫然印著：

剛志武同志，我們嚴肅地通知您，您在二〇四六年度火化資格考試中的成績到達了和諧殯儀館的火化分數線，獲得了在和諧殯儀館實施安樂死並火化的資格，特此通知。請在二〇四七年三月三日前攜本通知書、戶口本及本人身分證來我館辦理相應手續。有關事項詳見後頁說明。

在這一段文字後面是一個黑黑的公章，「新上海市和諧殯儀館」幾個字圍著公章的外圈排成彎彎的一道。

「這、這是怎麼回事？」老剛盯著手裡的紙看了半晌，好容易才擠出一句話。

「爸你不是去考試的嗎，考過了就有通知書啊。」

「通知書？我都考砸了，怎麼會有通知書給我？而且我報的是寶興殯儀館啊，怎麼寄了一張和諧殯儀館的火化通知給我？」老剛自言自語著搖著頭，「古怪。這通知書到底是怎麼回事……」

他無意中抬起頭，卻看見兒子臉上不自然的表情，而且一和他的目光接觸，兒子就匆忙轉過了臉。老剛頓時明白了。

「是你小子搗的鬼？」

「沒……沒有。」

「沒有？還跟老子撒謊?!老子現在打不動你了是不是？好，你不說實話，老子就撕了這張破紙！」老剛一手抓住通知書的一頭，往兩邊用力，打算把這張紙片給撕開，可是手上到底沒什麼勁，撕了一下沒能撕動，反倒因為用力過猛，忍不住咳嗽起來。

兒子急了，撲上來攔住了他。

「別，爸！不能撕！」

「不撕？好，那你說，這到底怎麼回事？」

「好，我說就是了……是我託了關係，想辦法幫你要了一個名額。」

「好、好、好，你小子也學會託關係了，」兒子的回答果然和老剛預料的一樣。他氣極的時候反倒笑了出來。「你小子託了誰的關係？」

「爸，你還記得夏天住院的時候遇上的指導員嗎？他留過一個地址，我就是去找了他。那個指導員雖然已經退了，可還是離休幹部，而且他的幾個兒子都在要害部門工作。我去找了他，跟他說了爸你的情況，他當時就給開了條子，還專門給殯儀館打電話，說你是他的老戰友，一定要給你安排一個名額。爸，你的這位老指導員人果然是軍隊上退下來的，一點官架子都不擺，還說出殯的時候他要親自來……」

兒子正在喋喋不休地說著的時候，老剛突然伸出手去，在面前的茶几上重重一拍。

「混蛋！你求誰都好，怎麼能求我的老指導員！當年我在部隊裡，就是他教育我，這世上數當官的最髒，你去求他，不是給我丟臉嗎?!」老剛看看手裡的通知書，把它往茶几上一扔，「不行，這個通知書我不能要。我要去和老指導員說，我不要他寫條子，我要憑自己本事考出來！」

「爸！你這又何苦。你那個指導員已經不是當年在部隊的那個人了！他自己的孩子哪個不是靠他的關係混到要害地方的。而且他現在連整個人都——」說到這裡的時候，兒子像是突然想起了什麼，收住了話。

老剛問，「都什麼？」

兒子搖搖頭，「沒什麼，反正就是告訴你，他不是從前那個指導員了。」

老剛被兒子說的一怔，想了想才說，「人家怎麼樣我管不著，可我不能這麼幹。」

「你要這麼說，那我當年考大學的時候你不是也找過你們廠長想辦法？」

「我那是為了你上學，不是為我自己。」

「那我就是為我自己啊？」

老剛冷笑起來。「把自己爸爸想方設法送進火葬場，這難道還是為了我好？」

「不為你又為誰？你以為你去報名中暑的時候我心裡好受？你以為你天天熬夜看書的時候我一點都不心疼？你要不想要通知書，當初幹嘛要去報這個名？」

「不報名，我這病你有錢治啊？上次中暑才住了幾天，扣掉咱們家多少錢？不報名不考試，我們一家人一起等死嗎？」

「是啊，就是這個道理啊，那我託關係又有什麼錯？我不也是想讓家裡人過好一點、想讓你老爺子活著的時候多過幾天好日子嗎？」

老剛被兒子搶白的一時不知道說什麼才好。兒子接著說，「爸，不是我心狠，一定要送你去火葬場，實在我也沒有辦法。你從小教育我要遵紀守法，可這個世道我不偷不搶就只能掙到這麼多錢，現在的三級生活水準也是拚死拚活才掙到的，可你現在又查出來肺病——」

「肺病？」老剛第一回聽說自己有肺病。「什麼肺病，都是醫院嚇唬人的，好從你口袋裡摳錢。我抽了那麼多年的菸，肺當然不好。我現在不是戒了菸了嘛……」

「不一樣的，」兒子之前說漏了嘴，索性一併說了出來，「醫生查出來你得的不是一般的肺病，名字怪得很，反正就是很難治療的病。醫院你也是知道的，不管什麼病，真要到了不得不住院的時候，不弄得傾家蕩產不會放你出來，而且就算傾家蕩產也不見得能給你治好。萬一你真在醫院裡走了，咱們家可就要給打回最低一級去，到那時候我們可怎麼辦？你也知道你兒媳婦快生了，到時候真讓你的孫子跟著民工的小孩一起上幼兒園、上小學？爸，別的都不說，我和你兒媳再怎麼受苦都能忍了，可總不能讓孩子一生出來就受苦吧，爸？」

兒子說到後來，聲音都有些哽咽了。老剛一開始還是氣鼓鼓的，可漸漸地也不知道究竟該說些什麼了。他默默地聽著，伸手把扔在茶几上的通知書重新拿起來。老剛的這雙手拿過機槍、拿過手榴彈，甚至還拿過敵人的刺刀，可是他以前拿過的所有東西，似乎都沒有黑色版紙上那幾個燙金的字刺人。

6

酒席的日子定在火化報名的前七天。老剛擬了名單，把自己還記得的、還有聯繫的老戰友、老同事、老朋友都列出來，讓兒子去發帖子邀請去。至於他的老指導員，兒子問起的時候，老剛閉著眼睛想了一會兒，最後說，「還是請吧。人家都說要來了，不管是不是客氣，起碼我們要表示下歡迎。」

葬禮的當天一片喜氣洋洋。新錦金飯店裡一共擺了七桌，老剛穿著一身戎裝從後台走出來往主席台上一站的時候，四下裡掌聲大作，恍惚間老剛以為自己又回到了當初退伍的時候，頓時感覺精神了許多，彷彿連近些日子愈發嚴重的咳嗽和哮喘都痊癒了似的。

唯一的遺憾是指導員沒有來。此前兒子登門去給指導員送喪帖，回來的時候說指導員住院了，要動一個大手術，手術的日期倒是排在葬禮之前，但還是要看術後恢復的情況，如果恢復的好當然來參加，恢復的不好可就沒辦法了。聽說這個消息，老剛還打算親自去指導員住院的地方去探望探望，可是據兒子說，指導員住院的地方屬於軍事管制區，一般人沒辦法進去，老剛也只得打消了念頭，盼著在自己葬禮這一天指導員能夠露面。

可惜直到酒席散了的時候，指導員都沒有來。

老剛有些累，一個人先回了房間。他開了房門，正要進門，忽然身後響起兒子帶著興奮的聲音。

「爸，你看誰來了。」

老剛回過身。走廊裡的節能燈發出冷冷的橘黃色光線，照在身後兩個人的臉上。站在兒子身邊的是一個年輕人，個頭和兒子差不多高，和自己一樣也穿著一身軍裝。看他的臉，老剛覺得自己似乎在哪裡看到過，可是一時又想不起來。

「老剛，是我啊。」

老剛怔了一下，他在記憶裡搜索眼前這張年輕的面孔。這張臉看起來不過二十多歲，自己按理說不可能認識二十多歲的年輕人，可為什麼有一股隱隱約約的熟悉感呢？突然之間，老剛的腦海裡電光火石般閃過自己當年背著指導員往戰場下跑的畫面。那個曾經伏在自己身上，被自己背了幾十里路一直背到戰地醫院去的年輕指導員，如今又一次站在自己的面前了。

這……這怎麼可能？時光倒流了？

老剛掐了一把自己的大腿，生疼生疼的。

這到底是在做夢，還是自己已經死了？

直到進了房間，坐到床邊的沙發椅上的時候，老剛也沒有從剛才的衝擊中恢復過來。兒子送指導員下去了。他本來就是從醫院回家的途中順路上來看看的。兒子送喪帖去的時候說起的手術，實際上是一個大腦移植手術，是把指導員的大腦移植到他自己的克隆體身上。手術是在半個月前在新華東醫院由那位黑信求恩教授主刀做的，手術很成功，半個月的恢復期過去之後，指導員的這具新軀體，也就和他自己原來的軀體沒有任何區別了。

不，區別還是有的，至少比原來那一具年輕了四十歲。

克隆的軀體很年輕，很健康，充滿了青春的活力。可是指導員怎麼會有克隆體？而且那個克隆體的年紀至少有二十歲，難道說，早在二十年前，指導員就已經開始培養他的克隆體了？

「你那個指導員已經不是當年在部隊的那個人了！」

老剛想起了兒子說過的這句話。現在他終於明白兒子的意思了。不過明白又能怎麼樣，不明白又能怎麼樣？葬禮都辦過了，自己在這世上已經沒幾天好活了，想得再多，又能得到什麼好處？

老剛伸手拿起旁邊茶几上放著的火化通知書，單單這一個動作就讓他累得喘了好一會兒。他把通知書展開，又看了一遍其中的內容——那裡面的文字這些天裡他已經看了不下數百遍，連折頁的地方都快給磨斷了，黑色的硬紙板上折頁的地方枝枝丫丫的磣出灰灰的毛邊。看到「安樂死」幾個字的時候，老剛自嘲地笑了笑，自己這把年紀、這把老骨頭，還用得著安樂死麼？大概說不定哪天就咽氣了吧……

老剛模模糊糊地想著，通知書上的文字和指導員年輕的臉龐在他的腦海裡來回旋轉，逐漸扭到一起，像座大山似的朝著他壓過來。老剛的手耷拉著，垂在沙發椅的扶手上。常年抽菸讓他的手指焦黃焦黃的，火化通知書就順著他手指的夾縫往下滑，輕飄飄地落在厚厚的天鵝絨地毯上，一點聲音都沒有發出來。

7

汽車發動了。小剛往旁邊讓了一步，讓開進出的通道，然後看著那車啟動、調頭、緩緩開出通道。在路口，那車停了停，然後向右邊拐過去，隨即消失在一幢灰撲撲的住宅樓的後面。小剛的視線依舊停在路口旁的住宅樓上，彷彿他可以透過樓板，看到那輛紅旗改裝車似的。

他還記得剛剛是自己親手給父親扣上最後一粒襯衫的扣子，又和殯儀館的人一起將他的軀體裝入深綠色的帆布屍袋，然後再把父親抬下了十六樓。

那具軀體摸上去如此陌生，彷彿是一個丟棄在路邊的廢品。小剛幫他的父親洗過許多次澡。那時候父親的身體也是一樣僵硬，一樣冰冷，只在熱水澆上去的時候才有一點溫度，暴露到空氣裡，不一會兒就又冷得像死人的皮膚一樣。可那終究只是像，生者與死者的軀體還是有著恍如鴻泥的區別。至少在小剛最後一次給他穿衣服的時候，小剛明白了其中的區別。從前的父親，絕不是這麼……這麼了無生氣。

有人拍了拍他的肩頭，在他耳邊說了些什麼。小剛只聽出「節哀」兩個字。他睜著無神的眼睛，轉過頭看了看，只見身邊站著一個老人，穿著件洗得發黃的白襯衫，下身是條藍布褲，腳上是一雙草綠色的解放鞋。這老人的頭髮也是剃得短短的，一根根朝著天豎著，其中大半都白了。看起來和自己剛剛送走的父親差不多年紀。

「你親人？」老人指了指汽車開走的方向，問。

小剛點了點頭。「我父親。」

「有證嗎？」

大概是說火化證吧。小剛又點了點頭。

「唉，走了就走了吧。既然有個證，又能平平安安的走，也算是難得的福氣了。」老人說著，伸手摸了摸自己的頭髮，自嘲似地笑了笑，「像我這把老骨頭，連火化證都還沒考出來呢，整天提心吊膽，就擔心什麼時候兩腿一蹬咽了氣，那可就苦了孩子們了。」

「我父親的證是我親手幫他求來的，也就等於是我親手把他送進了火葬場……」小剛彷彿在夢囈，平平的聲音裡聽不出一點生氣，「可我終究不明白，為什麼一定要拿到證才能死，為什麼連死都這麼難？」

「傻小子，你長了這麼大，連這一點都沒想通嗎？我們這些老不死的都不是人，都是錢啊！人一上年紀難免就會多病多災，就得三天兩頭往醫院跑，那就是在給醫院創收、在給地方增加GDP啊。你說，這樣子的搖錢樹，誰捨得讓你隨隨便便死掉？」

搖錢樹……嗎？小剛的頭腦彷彿隨著父親的軀體一併僵住了似的，連理解旁邊的人所說的話都很困難。他的目光沿著汽車開走的方向向前望去，越過擋在對面的那堵灰灰的小區圍牆，越過圍牆後幾棵細細的水杉，越過水杉頂上一輪冷冷的彎月，望向黑駿駿的空無一物的天空。

起風了。嗚嗚的風聲，彷彿是有人躲在某個看不見的角落哭泣。

得獎感言　丁丁蟲

死亡考試是為紀念我父親而作的一篇小文。這篇小文能夠獲獎，也算是對我自己的一個交代。謝謝各位評委，謝謝組織者。

評審講評　陳穎青

本篇是典型的「反烏托邦」小說，通篇沒有任何讓人驚歎的科技構想，但一點也不妨礙它繼承了科幻小說中，非常重要的社會批判傳統。

作者塑造了一個唯GDP（國內生產毛額）是問的世界，把GDP價值推到極端，就誕生了這個乍看之下荒誕不經的故事。故事誠然荒誕，但對照起全球金融風暴後，世界各國為了挽救經濟而採取的措施，我們又不得不承認，這種荒誕完全有可能發生。

本篇高明的地方是把這個荒誕，寫得入情入理，當經濟成長變成整個社會的執念，連死亡都得先問你有沒有考試及格拿到「准予死亡」的證書，這個諷喻所指，已經不僅是GDP一件事而已。GDP至上、文憑主義、特權與走後門，無數社會的陰暗面，作者只用一個平凡小人物的悲喜，就精準地剖開。我特別佩服作者經營這個主題的自制，一路聚焦在「死亡也要考試」的懸疑，一直到真相揭穿，不枝不蔓，充分掌握短篇的特色，像一把手術刀。

作者的文字也很用心，例如老剛父子接到「火化通知書」的那一場對話，充滿了黑色喜劇的荒謬色彩，讓讀者讀來心中五味雜陳，不曉得該哭還是該笑。

這是一篇老練、尖銳，而且好看的作品，值得喝采。

朝朝暮暮，暮暮朝朝

楊英

名次：二獎

早晨。

鴿子從黑暗中醒來。

三年的失明後，映入她眼簾的第一個人，是一直在身邊陪伴的丈夫，他正伏著身子凝視著隔離室中的自己。

「你看上去，比我想像中的，要老一些呢。」鴿子笑著對他說。她的話不是很流暢，畢竟過去很久時間她都無法發聲。

「是不是比想像中的我，老了三千六百五十天？」丈夫的手緊緊地撐在玻璃窗上。

鴿子愣了一下，這才反應過來，「不就是十年麼，你們搞科學的就是喜歡精確。不過……」鴿子突然黯然了。「你今年才二十八歲啊，不應該那麼顯老的。」

她伸出手去，想觸摸丈夫那有些斑白的鬢角，卻被冰冷的玻璃無情的擋住了。「我看不見的日子裡，你一定過得很辛苦吧。」

「對不起啊。本答應要和你一起慢慢變老的，」眼淚慢慢的湧出鴿子的眼眶，她不好意思的用手去擦，卻怎麼也擋不住，「但沒想到，能陪伴你的時候，你已經老了。」

她的眼睛模糊了，看不到丈夫此刻的神情。她只覺得丈夫的聲音也嗚咽起來，「傻瓜，我不是答應過，我會一直陪著你，直到我頭白如雪麼？」

「停！」王大力一揚眉，示意助手小白將監控影像暫停。「關鍵就是這裡。」

另一個助手將窗簾拉開，讓明亮的陽光灑進這個坐滿了人的房間。這是醫院的控制中心，負責本案件的警司王大力將辦案中心設在這裡。所以，現在來來往往的都是身穿制服的警員，唯一穿白大褂的是醫院院長。

王大力站到影像前示意，「剛才的對話很感人吧，兩人在此時應該深情對望才對。但注意丈夫的表情，他的眼神分明在注視自己撐在玻璃上的右手。影像慢進。」

「接著，這位名叫鴿子的患者注意到丈夫的眼神，於是也將視線投向對方的右手掌。注意表情！驚訝，接下來是恍然大悟！很明顯，丈夫將某種信息事先寫在手掌上，然後在這一刻通過玻璃窗無聲的傳達給她。這絕對是一小時後，患者逃出隔離室的直接原因！」

「但很可惜，手掌被患者的身體給擋住了。」王大力聳聳肩，轉頭詢問院長，「有其他的攝像頭可以看到丈夫的手掌麼？」

院長否認了，「攝像頭主要用來監控患者情況，只有一個，而且是2D的，清晰度不高，事關隱私。」

「那麼，結論是這個人知道有監控，才採用了這個方法。」王大力轉向各位同僚，「請諸位記下，疑犯對醫院的情況非常了解。不過，我們有辦法解決。」

他指揮機器人助手，「你看到隔離室那邊角落的水壺沒？那是合金的，鏡面反射率很高。從那個角度應該可以映到丈夫的手掌。你將它放大！」

助手熟練的將影像放大，通過警用軟體進行曲面修正和清晰度修復。逐漸，撐在玻璃窗上的手在水壺上反射出來。

「手掌中有字，」王大力面無表情指出，「八個數字。」

「52834348！這是隔離室安全門的內部開門密碼。他怎麼知道的？」倒是院長大吃一驚。

「現在還用這麼原始的數字密碼？」旁邊的警員有點不敢相信自己的耳朵。

「最原始的，才是最可靠的。我們是醫院，要對患者的安全負責。」院長爭辯道，「現在醫院裡，還保留著原始的酒精和手術器材，都是為了以防萬一。」

「很明顯，一點都不可靠。」王大力嘲諷道，「兩人見面一小時後，有人用你們可靠的酒精作為引火劑，燒了醫院的庫房。而這個患者乘著混亂，用你們可靠的數字密碼打開安全門，逃了出去。」

「現在，請老老實實的告訴我，這個患者逃出去，有什麼影響！」

「有人會死。」院長心虛的說。

「誰？」

院長指著螢幕，小聲的說，「就是這個鴿子。她天生身體有缺陷，不能接觸外界。這也是我們為什麼將她關在隔離室保護的原因。」

「啊！」突如其來的逆轉，讓大部分警員都愣了。「那她為什麼逃出去？」

「信息的不對稱。」王大力一刀見血的點出要點，「患者知不知道，逃出會導致自身的死亡？」

「應該不是很清楚。」院長不太肯定的說，「三年前，她逃出隔離室，那是她第一次遇見了她丈夫。雖然只在外界待了短短一個小時，卻導致她瀕臨死亡。搶救之後，視覺和發音系統失常了。而後的三年，她一直在隔離室中被保護著。昨天我們對她進行了手術，患者回復了視覺和發音，理論上可以自由接觸外界。但還有億分之一的失敗率，也需要一個星期的醫療調養。這些我們都告知了她的家屬，但是……」

「她的家屬有哪些？詳細點。」王大力追問。

「患者的母親已經去世多年；她父親是警員，正在出勤，聯繫不到。」

王大力點點頭。身為一個老警員，王大力了解：警員出勤時，體內的輔助晶片將被設定為警方模式，會遮罩一切影響客觀公正判斷的因素，成為一個沒有社會關係的人。

「目前唯一能聯繫上的，就是她的丈夫，那個男子了。」

「OK！」王大力已經得到想要的東西，「患者不知道逃逸的後果，但丈夫肯定知道。丈夫明知患者外逃可能導致死亡，但仍誘導和幫助患者逃出隔離室。這構成故意殺人罪，至少也是誘拐罪。因為是A級重罪，所以我向中央電腦正式申請對兩名嫌疑人的身體輔助晶片進行監控。」

這最後兩句話是對身邊的機器助手說的。助手很快的將王大力的請求發給上級。

「在座的諸位就不用等回覆了，我們的要求肯定被駁回。CC（中央電腦的諢名）除了駁回我們的申請，就沒幹過別的。我要求各位按照編號，馬上分散到城市的各個交通要點，監控一切可疑人員。相關的資料已經輸入你們的儲存晶片中。記住，逃逸的患者因為長期不能與外界接觸，肯定不會空間躍遷技術，只能步行和利用交通工具！」

「Yes，Sir。」警員們起立，然後直接從房間中躍遷到城市的各個角落。

「人少，就好辦事了。」王大力鬆鬆筋骨，笑容滿面的轉向院長，「來，這邊坐。」王大力極度熱情的將院長扶到監控器前，「我知道你們醫院有權對患者的身體晶片進行記憶讀取，因為你們要了解病人的病史。很好，我們也想觀摩一下你們的操作。」

院長堅定的拒絕，「不行，這是病人隱私。」

王大力的臉色沉了下來，「即使你的病人會死也在所不惜？」

院長面有難色，「我們只能調用與疾病相關的時間段記憶。」

王大力等的就是這一句話，「那好。我只是想知道患者是怎麼和那個男人相識的。那一次相遇，導致患者三年的失明和失聲，這是和病歷相關的記憶，絕對可以調用。」

「我很好奇，究竟是怎樣的原因，使得那個患者需要馬上逃出隔離室？明明一個星期之後，就能朝朝暮暮！」

記憶的重播，通常是以患者的視角進行的：

那一天，陽光明媚。鴿子從監護室中逃了出來。她並不害怕，醫院裡很乾淨，幾乎是無菌區，和隔離室沒有不同。

她一個人坐在無人的樓頂上，數著自己手指的循環。

很久很久以前，人們相信掌紋能決定主人此生的命運。人雙手的十個指頭，每擁有一個循環（那時候叫做渦紋，也叫籮，是形成圓環的指紋），就代表著一次生命的輪迴。當在世間輪迴十次後，擁有十個循環的人，就能過著非常幸福的生活，任何願望都能滿足。

鴿子始終相信著這個傳說，她並不奢求那麼多，她只希望能和心愛的人一起白頭到老。

但鴿子只擁有七個循環。

於是，她傻傻的想，如果我現在就死去的話，是不是能更快的遇見自己的王子？

起風了。從後面湧起的氣流吹亂了她的頭髮，遮住了她的眼睛。

風停下來時，她發現身後出現了一個巨大的機器，長長的翅膀潔白如洗，流雲似水一般的身體。機器中間是一道玻璃，可以看見黑暗裡似乎有什麼在蠕動。

突然間，穿著皮靴的腳，踹碎了玻璃。一個穿著怪異的人從破洞中狼狽的滾了出來。「好險，我都已經看到死去的奶奶在向我招手了。」他喘著氣扯下了頭上的氣罩。

那是一個擁有凌亂黑髮的男子，消瘦的面額卻有著夏日陽光的氣息。

他緩過氣來，這才發現鴿子，一雙黑眼睛瞇了起來，「這是什麼地方？你是天使麼，怎麼一身白？我……不知不覺中死了麼？」

「哈！」鴿子不由得笑出聲了，「笨蛋，一身白的不一定是天使，還可能是……鴿子啦！我就叫鴿子。你這是什麼機器啊？」

這個問題好像很對那男子的胃口。他生怕別人反悔似的，連忙手舞足蹈介紹起來，「哈，這是我從古書上仿製的飛機，用氫氧化合物做燃料哦。我叫她做白馬號。現在人們都用空間躍遷點旅行，飛機都已經失傳了。我的下一個目標是，復古可以製造時間漩渦的機器哦。」

「白馬號？你是騎著白馬的王子麼？」鴿子用迷離的眼神看著從天而降的男子，將自己雙手舉起示意，「你來早了，我只有七個循環，我還不能得到幸福的。」

「哈！」這回輪到男子嘲笑鴿子了，「騎白馬的不一定是王子，還可能是唐僧。我叫唐思，是當年歷經九九八十一難的唐僧和尚的後代哦。」

「我知道唐僧啦，他不是和尚嗎？怎麼還會有你這個後人。」

「我也很奇怪，所以才想復古時間漩渦機啊。」男子笑著說，「十個循環，十道輪迴。擁有十個循環的少女將得到白頭到老的幸福。你可能是世界上最後一個相信古老迷信的女孩子了。」男子席地坐到鴿子身邊。「你看，我只有一個循環。」

他脫掉自己的手套，將自己的雙手和鴿子的雙手對疊起來，「我會把這個循環送給你。就這樣，你只要再遇到兩個循環，就能和心愛的人白頭到老了。」

重疊的掌心，溫暖而柔軟的觸感，這是鴿子第一次接觸別人的手——她天生系統混亂，無法抵禦病毒，只能一直待在隔離室裡。

重疊的掌心，傳過來的不只是男子的體溫，還有無數的病毒在瞬間入侵了鴿子脆弱的身體。

那一天，是鴿子說話最多的一天。之後的三年裡，鴿子無法發出一個聲音。

「你知道麼，記載上的時間漩渦機很奇妙的。據說它的原理，就是循環哦。時間就像一條永不停息的河流，如果想逆流而上，是不可能的。唯一的方法就是漩渦，也就是一天的結束就是同一天的開始，如同莫比斯環。你覺得呢？」男子問。

是真的很奇妙呢。鴿子想回答他，但她已經說不出話來，男子身上的病毒已經麻痺了她的發音系統。

所以，鴿子只是微笑的看著他。

「你笑起來真好看。」男子悄悄的告訴她。

鴿子想告訴他，他笑起來也很好看，但她無法發聲。甚至，她的視場逐漸變黑，就在面前的他也變得模糊起來。

是不是病毒已經入侵了我的視覺系統？鴿子緩緩的閉上了眼睛。她不願意讓對方知道她已失明了，更不願讓對方知道，是他和自己的接觸導致了自己的死亡。

然後，鴿子的嘴唇感覺到柔軟而濕軟的壓力。這是鴿子的第一個吻，幾乎也是最後一個。

原來，被吻的感覺，就像要死去一般幸福啊。

旁邊的警員看得有點傻眼。「才剛見面，兩人就相愛了。這太不科學了吧！」

「這很正常，」院長解釋道，「患者父親長期在外工作，缺少父愛的女兒通常會形成比較傳統的人格。」

王大力冷笑道，「金風玉露一相逢，便勝卻人間無數。兩情如是久長時，又豈在朝朝暮暮？多學一點，以後騙女孩子有用的。」

「這一場意外的接觸，幾乎摧毀了患者的整個身體。還好我們通過心跳監控，及時得知了她的危情。她能保住性命，也算是醫學界的奇蹟。」院長自豪的說。

「心跳監控？」王大力一下子抓住了院長的肩膀，「我知道，對於重病患者，醫院有權通過身體晶片，監控患者的心跳等一系列參數。其中心跳是用聽覺監控的。」

「對，因為從心跳的聲音中，可以得到很多有用的信息。」

「很好。我希望你現在監控患者的心跳。小白，」這是王大力給機器助手取的外號，「你將聲音信號放大，除去心跳聲和一切雜聲。」

「你不要聽心跳，那還要我監控什麼？」院長不解的問。

「你難道不知道，人的身體，也是極好的傳音媒質麼？」王大力頭也不回的解釋道。

果然，隨著放大和除雜，逐漸出現了人聲。

「你侵犯了隱私！」院長撲過去，想關掉監聽裝置，但被王大力老虎一樣的身材給阻止了。

「合法侵犯。」王大力仔細聆聽，除了人聲外，還有一種斷斷續續的敲擊聲，感覺就像是用指甲輕輕的敲在肉上，「把這個也除去！」

這一次，對話聲清晰起來。

「唐思，這是通向幸福的第九個循環麼？我們是不是去海邊？」鴿子的聲音聽起來有點興奮。

男子沒有回答。

一會兒，鴿子的聲音再度響起，有點吞吞吐吐，似乎不敢肯定，「我們身邊，這花一樣的建築，是什麼啊？好漂亮。」

「這是樓房噴泉。這個建築物的所有房間都在不規則的運動，所以就算上個廁所，也可能會迷路哦，是一種布朗風格的建築。」唐思的聲音和影像中的一樣低沉。

「Bingo！」王大力打了個響指。「所有警務人員注意了，失蹤人在布朗大廈附近。迅速包圍附近的躍遷點和街道……」

全息地圖上，零散的光點突然向一處集中，形成了一個完美的包圍圈。

「小白，準備啟動起訴程式。」

「動機缺省。」

「為財。鴿子常年待在隔離室中，證明她家有錢。而男方唐思喜愛復古科學，這是燒錢的玩意。患者一死，兩人共同財產歸男方所有。而從今早開始，唐思的帳戶有幾筆巨額支出，已經嚴重入不敷出。沒有額外收入的話，他活不到明天。」

「證據？」

「沒有，我猜的。你找他。」王大力一指院長。

「我？」院長張大了嘴。

「安啦。」王大力搖搖手，「前三年，患者一直都在監控室，對不？那兩人結婚時，也肯定有監控影像，可以調用。只要知道結婚的準確時間，就能上網查到結婚協議。院長，您還等什麼？」

大概是鴿子失明和失聲後的第一年年尾。

唐思在監控室外敲著玻璃，用振動幫助鴿子學習那些古老到失傳的摩斯電碼。

「‥是我的意思，‥‥－－‥‥是愛的意思，‥－－‥‥‥代表你。連起來的意思是，我愛你。」唐思輕輕的敲著玻璃。

鴿子把耳朵貼在玻璃上，接收這小小的震動。然後，她用指頭輕輕的敲出了「我愛你」這句話。

「好，我教給你的下一句，比較複雜，大概意思是『我愛你，你願意嫁給我嗎？』」

鴿子沒有重複他的敲擊，靜靜的，她搜索自己以前學的東西，輕輕的在玻璃上敲了出來，「我願意。」

然後她哭了。鴿子不知道怎麼敲出下面的話，所以她直接用手指，沾著自己眼淚，在玻璃上歪歪斜斜的寫道，「可我沒法陪你一起慢慢變老，我也許明天就會死去。」

「兩情如是久長時，又豈在朝朝暮暮。」唐思的手隔著玻璃和鴿子緊緊貼在一起。「我發誓，我一定會陪著你，一直到我頭白如雪。」

就在這一刻，雙方的晶片都感覺到了主人的心意，交換了電子信號。於是，一對發誓白頭到老的夫妻產生了。

知道具體時間後，王大力順利的調出兩人的結婚協議。不出所料，鴿子的父親是一個比較出名的神探，為了女兒的病情，長期出勤，節省了一筆鉅款給了鴿子。兩人結婚後，這筆錢用於支付鴿子的醫療費和唐思的科研費用。

「上午八點入不敷出，九點就來誑老婆自尋死路，多麼傳統的動機啊。」突然間，王大力突然愣住了。

鴿子怎麼知道唐思手上的數字是開門的密碼？這說明他們之間還有一種不被我們知道的聯繫方式！應該是影像中的摩斯密碼。摩斯密碼，由點、線、停頓組成，跟剛才竊聽他倆對話時，出現的指甲敲擊的雜聲一樣！

王大力連忙招呼小白重放剛才的竊聽紀錄，將那雜聲按照摩斯密碼轉化成對白。

「轉化內容如下：『我們正在被監控。現在你要對我說如下的話：『我們身邊的這一個花一樣的建築是什麼啊？好漂亮。』」

「他奶奶的！」王大力忍不住爆粗口，「被騙了！他媽的，這傢伙怎麼知道我在監聽？小白，馬上檢查屋內有無竊聽器！」

但小白不識好歹的蹭了過來：「王Sir，CC再次警告你不准說粗口，破壞警方形象。」

王大力沒有理會，他現在滿肚子的怒火。「警員注意，解除包圍。所有人分別躍遷到城市各個部分，以經緯均勻分布，每平方公里內一人。十秒鐘後，按編號順序，每隔兩秒，依次對天上放空槍。立即開始。」

城市中響起了此起彼伏的槍聲。

患者的心跳監聽器中，突然響起了一聲清脆的槍響。王大力連忙聯絡：「剛才放槍的，報自己的位置。」

「王Sir，我在皇后大道東，伊能醫院樓下。」

「很好，能夠通過心跳監聽器聽到你的槍聲，證明患者就在你附近。」王大力奪門而出。「犯人就在我們樓上。剛才患者對話中所說的通向幸福的第九個循環，就是指他們來到了一開始相遇的地方。」

樓頂在五十一樓。電梯才走了一半，就聽見一陣轟鳴聲響起。

王大力滿臉陰沉的掏出配槍，仔細檢查，「是那架飛機。一開始，醫院庫房的火，就是唐思放的。他不僅干擾了醫院秩序，讓鴿子能趁亂逃出；而且，還能隱藏他的另一個目的——酒精。那把火讓我們不知道還有一部分酒精被偷走。而現在，他將用這些酒精作為燃料，發動那架飛機。這就是第九個通向幸福的循環！」

電梯門剛打開，一個巨大的陰影從他面前掠過。

王大力眼睜睜的看著那架潔白如雪的飛機離開屋頂。

嫌疑犯居然就在他頭頂上躲了四個多小時，這是他投身警界以來，所經歷的最大恥辱。

「那個方向，是海的方向。患者對話中也提到過，他們是想看海！」半晌，王大力才咬牙切齒的吐出話來，「所有人通過空間躍遷點，提前在海邊守候！飛機慢，我們可以超前。」

「命令拒絕，不能實行。」CC通過小白，直接拒絕了王大力的指揮。

「為什麼？」王大力快暴走了。

「最新報告指出，有人在沙灘上布置了一枚聚變炸彈。海灘附近被宣布為禁區。一切警員不能靠近，包括你！已經建議附近公民立即疏散。」

「那好！我自己趕過去！」王大力剛想躍遷，卻被小白擋住了。

「你是總指揮，更加不能過去。」CC的語氣異常堅定。

「老子不能讓他們就這樣溜了。」王大力抄起附近的一把手術刀，對著自己的腹部猛刺下去。大股的鮮血頓時濺了一地。

「警員不能去，是吧？那好，我受傷請假。」

「CC，我是王大力。目前受傷，請求暫時解除警員身分。」王大力對著小白吼道。

「CC收到。王大力同志，你的傷勢並不嚴重，應該就地治療，並堅持指揮工作。這是你一個公僕應該的職責。」CC和王大力的身體晶片交流資料後，馬上回話了。

「奶奶個熊，你夠狠！」王大力一咬牙，把插進去的手術刀狠狠的向下一拉，然後一攪，痛得他臉都白了。

「CC，你他媽的聽著，老子要死了，老子不幹了！」

還沒等王大力說完，CC就借著小白的口頒布命令，「王Sir，CC多次警告你不准說粗口，你已經嚴重破壞警方形象。你暫時被解職，回復公民身分。目前的任務，由小白接替。請您在一小時之內交還配槍和證件。你的晶片將在二十分鐘內，解除警方設定，回復公民身分。」

「靠！你媽的整我啊！」儘管很想再罵幾句，但王大力痛得撐不住了。

小白用自己的聲音說道，「王Sir，請交還配槍和證件。」

王大力將證件丟給小白，「槍等會再還。我現在是公民身分，去海灘誰也管不到！」

王大力在腦海中思索著躍遷點的位置，晶片自動將他瞬移到最近的躍遷點。但海灘躍遷點已經關閉。他必須還要步行兩公里。

他給自己簡單包紮了一下，再環望四方——感謝上帝，他讓自行車流行了四千年。

沙灘上有一間遊人搭起來的沙屋。王大力為了不留下可疑的腳印，脫了鞋，倒退著躲進去。然後他用體內的晶片直接和小白通話。

「小白，身為一個公民，我建議調一輛救護車和全套醫療設備到沙灘附近。我一旦掌握了患者，就馬上進行現場搶救。」

但是沮喪的消息卻傳了過來。「患者不行了。她的循環系統已經崩潰。她的心跳越來越淩亂。心跳停止了。患者，已經死了。」

「奶奶的！」王大力一拳打在沙屋的牆上，差點把自己活埋。

患者死了，一切都結束了。

他心中萬分沮喪。

但這不正常，王大力自我審核著：他在這個案件中投入了太多的個人感情，而晶片中的警方設定，應該會遮罩一切影響客觀公正的因素。這不正常！

天空中傳來了嗡嗡的聲音，那架潔白的飛機出現在空中。

「現在通話暫停。我已經看到飛機了。它正在向我方飛來。他媽的！它正在向**我**飛來！」

說時遲，那時快，王大力一個魚躍，就地打滾剛好躲過衝上沙屋的飛機。他從來沒有這麼狼狽過。

飛機似乎把沙屋當做緩衝，慢慢的停止了滑行。王大力舉著手槍圍了上去。

玻璃的機艙緩緩打開，唐思抱著一身潔白的鴿子走了出來，臉上依稀還有淚痕。「她還是沒有看到海。」

「假惺惺什麼，」王大力怒吼道，「不是你騙她出來，她還活得好好的。你這個殺人犯！」

唐思沒有理會王大力。他輕輕的將妻子安置在飛機的機翼上，似乎她只是睡著了一般。

「我還有五分鐘的時間，我來給你解釋這一切吧。」唐思一邊說道，一邊開始脫身上的衣服。

「王大力，你一定看了我們第一次見面的錄影吧。在那一場裡，我提到了我下一個目標就是復古時間漩渦機。」

唐思怎麼知道他的名字的？

「我成功了。時間就像一條永不停息的河流，你回到過去的方法只有一個，就是在這條長河中激起漩渦。它能夠讓一天的結束就是同一天的開始，一天後的你取代一天前的你，從而使宇宙保持最小誤差內的平衡，如同莫比斯環。你只能回溯一天，而且不能連續回溯。形象的說，你星期一晚上睡去，睜開眼發現還是星期一的早晨。朝朝暮暮，暮暮朝朝，都是同一天。」

王大力沒有領會唐思說的，他在緩緩的向鴿子的屍體靠近。他的頭有點暈，這可能是晶片在重新設定的原因。

唐思沒有注意到王大力的小動作，「以前，我很好奇為什麼人們發明了它，卻又把它放棄。在我親身使用後，找到了原因——時間漩渦不能改變某些過去，這是它能存在的基本前提。如果你能順利的進行時間躍遷，那麼你永遠無法達到你的目的。絕對的，就像我永遠不能改變我的妻子在今天死去的事實！」

「你妻子是因為你把她騙出隔離室才導致的死亡！」王大力吼著。

「這是這一次躍遷的今天！」唐思吼了回去。

「手術過後，第一次躍遷前的今天，我們以為終於可以得到幸福了。我和她一起隔著玻璃依偎著，快樂的談著未來，好像還有明天一樣。但那個晚上，暮色降臨的時候，她死了，死於手術那億分之一的失敗率。我不能接受幸福就這樣從指間溜走。於是，我啟動還來不及試用的時間漩渦機，回到了同一天的早上。」

「我說服了醫生對鴿子進行再次手術。但，她死了。我再一次啟動時間漩渦，回到過去，去請求國家醫療機構，她死了。我強行將她帶到歐洲治療，她死了。我給她服用正在開發的新藥，她死了……我無數次看著她死去，卻不能為她做一丁點事情。」

「於是，第一千二百五十四次，我放棄了。我回到那一天早上，我問她復原後，她最想做什麼，她說她最想和我一起去看海。於是我用了十四天，也就是十四個循環，終於弄到了監護室的密碼。但是，這個時候，你出現了……」

「你的名字經常出現在新聞中，是很厲害的神探。知道你一共阻止了我多少次嗎？光在醫院樓頂上，你就逮捕了我五十二次，甚至有一次，你硬生生的把我從已經發動的飛機上扯了下來。你太厲害了！」這時的唐思，渾身上下已經只剩一條內褲了。

「你看我右肩上的傷口，還沒有癒合。這是你躲在沙屋裡，向我射擊造成的。」唐思指著後背的傷口。

「時間躍遷不能修復你的傷口嗎？」他說的話，王大力一句都不信。

「我說過了，時間躍遷只不過是時間長河中的一個循環，你看到的晚霞，就是同一天的朝霞。作為觀察者的你，始終延續著。一個循環過去，你還要老去一天，這就是時間旅行的代價，但這正是我想要的結果！」

「我經歷了無數次的循環。每一次循環，我就會老去一天。我在試圖拯救鴿子時，我在嘗試帶著鴿子去看海時，不知不覺，我的鬢角有了雪花，我的額頭有了皺紋，我老了……居然這還是鴿子先發現的。她流著淚向我道歉。她說我一定很累了吧，她說對不起啊，她說她答應和我一起慢慢變老的，但她能陪伴我的時候，我已經老了。」

「每當她這樣說一次，我總是要哭好一陣。這是我的錯啊，是我和她的相遇，害得她不能好好地活下去。我救不了她，可她還在向我道歉。對不起，對不起啊。」

「這樣也好，我就一次又一次的循環吧，總有一天，總會在這一天，我將老去，我將衰老得再也不能動彈。到那一天，我不會再嘗試循環了。我會和鴿子一起隔著玻璃依偎著，給她講我經歷過的事情。我不能讓她活到明日，那我就和她一起結束在今天吧。」

「現在，我又要開始了。」

突然間，唐思渾身痛苦得抽動起來，好像胃中有什麼在翻滾一樣。他將兩隻手臂都伸進了嘴裡，在拚命的扯著。

當王大力意識到，唐思的手不是伸進去，而是被吸進去的時候，唐思的整個身體都開始湧入嘴中，彷彿那裡有一個黑洞似的。

「你為什麼要這樣循環！兩情若是久長時，又豈在朝朝暮暮！」王大力對空無一人的沙灘上吼道他捂著滲出血的腹部，跌跌撞撞來到鴿子屍體旁，淚如泉湧，「你幸福嗎？我的女兒。」

當卸下警方身分後，王大力體內的晶片會解除一切屏障，不再遮罩那些會影響客觀公正判斷的因素，其中就包括父女的血肉關係。

蒼海如山，日暮如血。

這是暮色嗎？還是另一個今日的朝曦？

早晨。

鴿子從黑暗中醒來。

三年的失明後，映入她眼簾的第一個人，是一直在身邊陪伴的丈夫，他正伏著身子凝視著隔離室中的自己。

「你看上去，比我想像中的，要老一些呢。」鴿子笑著對他說。她的話不是很流暢，畢竟過去很久時間她都無法發聲。

「是不是比想像中的我，老了三千六百五十一天？」丈夫的手緊緊地撐在玻璃窗上。

鴿子愣了一下，這才反應過來，「不就是十年多一天麼，你們搞科學的就是喜歡精確。不過……」鴿子突然黯然了。「你今年才二十八歲啊，不應該那麼顯老的。」

她伸出手去，想觸摸丈夫那有些斑白的鬢角，卻被冰冷的玻璃無情的擋住了。「我看不見的日子裡，你一定過得很辛苦吧。」

「對不起啊。本答應要和你一起慢慢變老的，」眼淚慢慢的湧出鴿子的眼眶，她不好意思的用手去擦，卻怎麼也擋不住，「但沒想到，能陪伴你的時候，你已經老了。」

她的眼睛模糊了，看不到丈夫此刻的神情。她只覺得丈夫的聲音也嗚咽起來，「傻瓜，我不是答應過，我會一直陪著你，直到我頭白如雪麼？」

我日復一日地生活在同一天中，每一天都是相同的日期。但我很幸福，因為我能和你相對朝朝暮暮。你應該也會覺得幸福吧，因為我會一直陪著你，直到我頭白如雪。

暮暮朝朝，朝朝暮暮。

得獎感言　楊英

「不管怎樣的年代，都有我這樣平凡的女子，在渴望著平凡的幸福。持子之手，與子偕老。希望每一個女子的青春時光，都有愛她的人陪著度過；希望每一個白髮蒼蒼的女人，都有些故事可以懷念。我寫下了自己的思念，就成了《朝朝暮暮，暮暮朝朝》。沒想到它能夠得到評委老師的青睞而獲此殊榮，謝謝你們。」

評審講評　葉言都

循環或迴路式的題材在小說中屢見不鮮，科幻小說裡也常採用。此次徵文進入決審的作品中就有數篇採用此題材，而本文無疑是其中運用最純熟的代表作。

故事以淒美的愛情場景展開，隨即急轉直下，成為未來世界的警探辦案，此後就在這兩條線索之間平行發展，直到二者合而為一，然後循環完成，答案出現，但下一次循環也隨即來臨。這樣的寫作方式並非新穎，唯本文在兼顧結構完整、起承轉合恰當、內容兩個部分保持平衡等必要條件之餘，猶能適時製造高潮，始終引發讀者興趣，確屬難得。至於文字之優美流暢，更不在話下，唯文中某些過場如男主角從手開始「整個身體湧入嘴中」等，尚欠缺說服力，將來可以再加修改。

文中以「機器警探」、「空間遷躍」等點出科幻與未來的背景，同時不忘交代在那個年代有數字密碼、飛機、酒精、手相等「古董」出現的原因，皆可見作者的用心。至於「CC」、「人少，就好辦事了」等名詞與說法的出現，熟悉二十世紀中國歷史的讀者讀到時應會發出會心的微笑，本文也因此可歸類為中國科幻小說，相信提倡中國風味科幻小說的張系國先生閱畢，亦當首肯。

純潔行銷

名次：二獎

寶利瑪

1

門鈴響了。

穿著水泥工制服的壯碩矮個子馬里拍了下膝蓋，從沙發上跳起身子，便往門口去。

走到一半，卻有點猶豫的調了頭。

「要是不是送貨員怎麼辦？」馬里自語。

空氣中沒有任何答案。

馬里用那與身材極不相襯的纖細指頭按下門旁監視器按鈕。

監視器裡映出了個很高大的男人，抱著一黃澄澄亮晶晶且工整以膠帶封起的紙箱，箱子側面印了隻微笑的小白兔，是「純潔白兔」公司的商標，上面貼了張紅色出貨單。

「送貨！」送貨員的聲音粗啞，聽來像是頗陽剛的男人。

馬里像是跟他比賽聲音陽剛般的，用更低沉的聲音問：「我怎麼知道你是不是真的來送貨的？」

送貨員勉強空出一隻手來指著自己穿著制服的胸口右側那隻純潔白兔。

馬里還是不開門，只說：「把東西放著，你可以走了。」

他訝異的問：「不用安裝嗎？」

「不用了！上面都有說明書，照弄不就好了！」

「是可以使用專業級安裝工具組，自行依照說明書安裝。然而我們還是不建議由客戶自行安裝。您應該了解這種東西要是安裝得不好，產生的後遺症可不只有東西壞掉而已。且我也有義務告知您，一旦由客戶自行安裝，則公司不會承擔安裝不良所產生的故障叫修費用，那……再跟您確認一下——您確定要自行安裝嗎？」

馬里只好帶著不情願的開了門。

真實的送貨員比起馬里在監視器上看到的可又更高壯得多。

他進門後便問：「要用這套裝置的是……？」

馬里臉上表情古怪，卻不說話。

「呃……人不在嗎？」

馬里低下頭來，尷尬的說：「是我要裝的……」

送貨員一臉驚愕，趕緊放下紙箱，拿出訂單來仔細看了一遍，問：「這是女性專用的耶！訂單是不是搞錯了？您是馬里先生本人嗎？」

「訂單沒有弄錯，我也不是馬里先生！只是……我是馬里小姐本人。」

「喔！」送貨員盡力裝出一副不這麼大驚小怪的回答：「請您帶我去一個可以躺下來的地方吧！我要開始進行安裝前置作業。」

馬里點頭，腳步卻不移動，愣愣的望著地板。

「馬里小姐！您知道接下來要做什麼嗎？」紙箱很重，他可不想繼續拿著。

「但是……我怎麼知道你……你會不會有其他的企圖？」她終究還是害怕。

「您不必擔心，我們是純潔的到府服務。請您檢查！」他將紙箱略略抬高。

馬里雖然不想做這種事情，但為了自己的安全，還是伸手摸摸紙箱下——送貨員的下體後，說：「好吧！我知道了。」

送貨員則拉起專業的微笑說：「我們的人員都經過良好訓練，我們的安裝程序的每個步驟都會依照安裝標準操作規範執行，請您放心。」

2

馬里帶著送貨員到了自己的房間，她的粉紅色單人床邊。

送貨員將紙箱搬了進來，拿起小刀拆卸紙箱，邊說：「脫去上衣後躺下。」

馬里照做了，不過這個程序倒是比送貨員想像的還要複雜。她先把工作服拉鍊給拉開，隨後拿出兩片墊肩、還有四個裡面塞滿棉花的手臂套。

——原來她的粗壯都是裝出來的。

看到這麼纖瘦的馬里，送貨員這才發覺她臉上的鬍鬚是假的，她甚至還有一雙迷人的雙眼與水嫩的紅唇，原來她不但是女人，還是個挺美的女人。

隨著馬里褪去上衣，露出渾圓飽滿帶深溝的雙乳，送貨員更是讚歎：「好豐滿啊！」

馬里撇撇嘴，褪去胸罩，不高興的說：「不然何必跟你們買！」

送貨員趕緊轉開放在馬里雙乳上的視線，說：「等等我會開始幫您的乳房做熱身，會有點感覺，但是不至於不舒服。熱身完會上麻醉乳膏，等乳膏生效之後才會開始安裝作業。」

「做熱身的感覺是怎樣的感覺，會痛還是會麻嗎？為什麼要做熱身……」顯然的，馬里有一堆問題想搞清楚，不安到了極點。

「感覺？就是普通的觸壓感，有些比較敏感的客人，會覺得有點癢，但是……」他回答著，手上動作不停，先是戴上手套，然後在手套上噴上一層酒精，接著便把雙手放在馬里的兩個乳房上。

「啊！」馬里驚叫，忍不住抓住了他的手。

「放輕鬆，其實沒什麼感覺的！」他熟練地說，且沒有停下來，開始搓揉馬里的乳房。

「明明就有感覺！」馬里心裡開始埋怨起來，若非逼不得已，她才不想花錢找罪受。但她僵硬的手還是慢慢的從他的身上放了下來。

忍吧！為了自己，為了她的人生。

好不容易暖身結束，馬里的乳房上被塗了涼涼的麻醉乳膏，感覺漸漸喪失之後，她才覺得比較好過一點。

「為什麼不一開始就塗麻醉？」馬里心裡覺得眼前這個送貨員肯定是故意要整自己的。就算他不能對自己怎麼樣，但這樣亂揉一通也算是吃到豆腐不是嗎？她根本是個無奈的玩物，只能眼睜睜看著送貨員不斷的從紙箱中拿出零組件包，打開外包裝，把零組件一樣一樣用鑷子夾出，然後在自己胸口弄啊弄的。

大概過了有如半世紀漫長的半小時之後，送貨員終於收手，用布略略擦拭馬里的胸口之後，將手套給拿了下來。

「好了！非常成功！」猶如去沙龍美髮完一般，他拿出一面方鏡照了照馬里的乳房給她自己看，邊問：「滿意嗎？」

「還是有縫啊！」馬里忍不住抱怨，原本她光滑的乳房四周現在有一圈細淡的黑色線，在雙乳的中間，還有個凸起的小黑點。「這跟你們的廣告不符！不是說完全無縫感嗎！我是看上這一點才找你們公司耶！」

「小姐啊！根本不會很明顯好不好！如果沒有仔細看是看不出來的。您會抱怨這個肯定是您沒有看過其他公司做的，看過之後您就會知道為什麼我們公司敢說自己是完全無縫感。這樣已經很好囉！如果您真的要比這個還好，那建議不要裝了，讓我把東西拆下來恢復原狀。」

真是有種誤上賊船的感覺！

馬里無可奈何，只好無奈搖頭說：「算了算了！就這樣吧！」

「好吧！那我接下來要為您講解使用方法，請務必看仔細。」他讓馬里坐起，並請她拿著鏡子後，仔細連比帶畫的講解：「這種產品的特色，就是操作方便，步驟簡單，並且有專為新手設置的防呆裝置，絕對不會搞錯。打開的時候，只要記得這一點（他指指她乳房中間微微凸起的那黑點），把它拉起來……」他拉了那猶如凸痣般自然的黑點，便從她身上順道拉起一小段鋼絲。

——馬里那美麗的乳房，竟然順著鋼絲滑了下來！

更正確的說法是：那雙峰是黏著在一片肉片平板上，平板則有鋼絲固定著。

他將那片乳房捧在手臂彎裡，用另一隻手示範該如何將這片乳房從那鋼絲頭上拿下來。「很簡單的！這片背後有個扣鎖，把扣鎖給扭開就可以順利的拿下來。您看！多簡單多完美啊！」他就像是在電視節目裡推銷高價保養品般的激情展示著使用前與使用後的差異。

馬里望著那片載著雙乳的肉板，隨著他展示的方向還微微的晃動著，那形狀對她來說好陌生！大概是因為這是她第一次用這樣的視角看著自己的雙乳吧！她忍不住低頭，看了看自己現在的胸部，雙乳不見了，中間有個呼應那一片形狀的小凹槽，裡面竟然可以清楚的看到血管跟肌肉紋路。

「好可怕！」她不敢再看，閉上眼睛。

「別擔心，我們產品設計之所以比其他公司優良，就是因為我們有考量到整體美觀度的問題。您先把眼睛睜開看我這邊吧！您看這裡。」他指指她身上那凹槽最下方的邊緣處，有一片非常短小的突起皮膚。「把這個頭拉起來，就可以拉出一片假皮，上面還有人工假乳頭，您看！在這呢！很像吧！然後把這個頭塞到這裡，就會自動伸進去咬緊了。」他邊說邊動作，而也果真如他所說，胸前凹槽不見了，取而代之在她胸前的，是看來很像男性的胸脯。「剛好這樣也符合您平日男裝的裝扮需求吧？」

她望著自己身上那片陌生的男性化胸部，點點頭。

送貨員則繼續說明，如果要裝回去該怎麼裝。其實大致上就是方才的那些步驟倒過來做一遍而已，確實很簡單。接著，他讓馬里自己裝卸了一遍。

3

他看馬里反覆裝卸了好幾次，已經相當順手，便問：「還有什麼問題沒有？」

「嗯，是還可以啦！但你們這個縫真的很醜耶！」她看他只點頭賠罪，沒有多表示什麼，忍不住明示：「難道你們沒有什麼補償的方法嗎？例如說送點小贈品還是什麼的！」

送貨員倒是有備而來，立刻從側背包中拿出一隻看來很普通的刷子，說：「這是本公司的贈品，拿來清潔您胸口內部凹槽用的。奈米碳纖維細緻毛刷，刷毛採用的材質結合了人工皮膚與耐久纖維，保證刷起來舒舒服服，卻相當的耐用……」

「這是你們本來就一定會送的東西吧！這哪算是補償呢！」馬里立刻識破他的伎倆，要想憑這樣就打發精明的女人，那真是見識太過淺薄。

送貨員抓抓頭，思考了良久才說：「好吧！那我就再送您一樣，不惜成本！」他拿出一張折價券來，並強調起這樣東西的重要性：「這張可是非常貴重的五折券。我們公司這張券不是對外作行銷的，而是作餽贈重要客戶使用。這在網拍上還可以賣錢呢！您看它多有價值！為了防止濫用，每張券上都有一個獨一無二的編號，甚至還有防偽標籤……」

但馬里撇撇嘴，不以為然的說：「折價券就折價券，又不是免錢，有什麼好的！」但她還是湊近瞧瞧他手上那張券。「天啊！這張！」她驚叫，不敢相信。

「這張折扣的是我們公司系列產品中最貴的品項。我告訴您，這項產品很少在打折扣，更從來沒有打過這麼高的折扣！拿到這張的可都是VIP中的VIP。」他把券塞到她手中，說：「就給您吧！當作是我的一點補償。」

「可……可是這個，打了五折還是太貴！我用不到啦！唉！我怎麼買得起。」如果她能夠有花不完的錢，那她肯定什麼都買了。真不懂這種產品為什麼會有這麼高的價位，想要買這種東西的肯定都是年輕女孩子啊！但是年輕女孩子有這種錢買這樣東西的人卻是少之又少。

「但是您不買真的太可惜了，您是我見過最適合這樣產品的人！這東西對您而言是一項投資，肯定會有很好的回收的。」他說得很中肯。事實上，馬里也這麼覺得，她從未看過任何一個條件比她更好的女孩，但家裡比她有錢的女孩倒是如滿天星斗那樣的繁多啊！

「唉！你不要再說了，就算我很心動，就算我要買也沒有用的，除非不用錢你也可以賣給我。我就只能買得起這個而已。」她很委屈的指指自己那對可裝卸乳房。

「好吧！」他也跟著嘆了一口氣，放棄繼續勸說的念頭，但還是補了句：「但您條件太好，只有買這樣是不夠的。現在外面的世界是怎麼樣子，您應該比我清楚。」畢竟她連在家裡都會打扮成男人了。

馬里委屈又無奈的嘆了口氣。

4

一星期後，門鈴響了。

馬里趕緊跑去按了監視器，有一個熟悉的人影抱著紙箱站在門口。

「送貨！」同樣沙啞的聲音。

她面帶微笑的打開了門，還招呼：「嗨！又見面了。」

「呵呵！是啊！真沒想到這麼快又見面了。」這回，他不用人領路，好像在走自己家一般的走到了她那張粉紅色單人床邊。

「是我沒想到吧！如果不是因為你通知我有這個分期方案，我怎麼有錢買得起貴公司的東西！」那可是用五折券加上百期零利率的威力換來的。

她褪去了自己的下半身衣物，一點也沒有第一次的生澀感。

「但是還是要裝了這樣東西比較安心吧！不然的話，像您這麼美麗的女孩子實在是太危險了！喔！要檢查嗎？」他指指自己的下體。

馬里想到上次，忍不住羞紅了臉：「不用了！我信任你……你們公司。」為了服務這塊女性顧客為主的市場，送貨員的下體都會安裝可裝卸裝置，出勤的時候，下體的那部分是不可以帶出來的。

「好！這次會比上次久，畢竟這個部分比較複雜一點。」他雙手已經就緒，並拿著一根細長的棉棒。「那我要開始了，一樣要先熱身。」

「熱身？那裡也要熱身？要怎麼熱……唉啊！」突然被這麼放入，馬里雙腿忍不住抽搐高抬。

「放輕鬆，不會有什麼感覺的。」他還是說這句老話，但這怎麼有可能沒感覺！他正把那根棉棒放入她那裡耶！天啊！她那裡可從來沒有被這樣對待過。

「你……你小心點嘛！要是弄破我就毀了！」

他乾笑兩聲，還是老話一句：「我們的安裝程序的每個步驟都會依照安裝標準操作規範，絕對不會讓您有任何不愉悅的感覺，請您放心！」

「可不可以先上麻醉啊！」她要的是真的零感覺。

「這恐怕不行！所有步驟一定要依照安裝標準操作規範來執行的。」他手上不停，不斷的讓棉棒在裡面來來去去，貼著壁摩擦。沒多久，她那裡發出了奇怪的聲音。咻啾咻啾的連續著，像是充滿液體，不斷宣洩出來。

他得意的說：「聽到了嗎？這便是那裡愉悅的聲音。我就說，不會有任何不愉悅感覺的。」

馬里紅著臉，感覺自己又成了無奈的玩物。

當然每次她那裡每被衝擊到某個點，腦袋也會被擊出某種感覺，但是……「我不覺得有哪裡愉悅啊！」她忍不住這麼說。

「您跟我開玩笑吧？都已經這麼濕了。」

「那是自然反應的吧！有刺激就有反應，這跟愉不愉悅沒有關係啊！我現在就不覺得是愉悅！」

馬里相信就算是一隻怪獸這麼弄她，她不愉悅到了極點，她的那裡也會是像現在這樣的，這就像是皮膚遇熱會流汗一樣，跟愉不愉悅一點關係也沒有。

「熱身結束了，我接下來幫您上麻醉。」他選擇不再多說，畢竟「客人說的永遠都是對的」可是專業技術送貨員的基本認知。

接下來的事情便差不多一樣了，馬里只看到他戴著手套，拿著零組件跟工具的手不斷的在自己的下體跟零件堆來來去去。

這回一個小時便完成了。

同樣的，他也拿起方鏡照往那個地方，說：「滿意嗎？」

馬里卻看傻了眼，從來沒有看過那個地方的她，居然覺得好陌生。甚至覺得她的那裡有點醜陋古怪。

「不滿意啊？」

馬里這才回過神來：「喔！沒……沒有。你教我怎麼裝卸吧！」

他點頭。這回裝卸點在她的鼠蹊部。同樣的，他示範後換馬里，很快就學會了。

「好了，謝謝你。」她說，重新穿起下半身衣物。「接下來要辦分期付款手續吧？」

「嗯，是啊！」他心不在焉的回答，卻盯著她的臉瞧。

馬里忍不住問：「有什麼事嗎？為什麼要這樣看我？」

「這個……有件事情我不知道該不該說。」

「說啊！有什麼不好說！對客人要誠實嘛！」

「您說的對，但是我怕我說出來，您會以為我只想要賺您的錢。」

「我知道你要騙我買東西對不對？」看著他如默認猛抓頭的樣子，馬里有些得意。「反正我已經買不起了，就聽你說說也無所謂。」聽聽所謂的專業推銷說詞都說什麼也好，這樣以後自己有錢的時候就不會這麼輕易被騙了。

他嘆了口氣，說：「好吧！這是最近從總公司傳出來的事情，我們有幾個客戶，明明已經裝了可裝卸陰道與乳房，還是被強暴犯攻擊了。」

這是一個男人都是強暴犯的年代。很可悲的是，這還是人類有史以來最文明的時代。

原本一切都還在控制範圍之內，男人們也都還可以壓抑得很好。但是自從情趣類互動式擬真遊戲成為這世界上每個男人的生活必需品，大賣特賣之後，情趣產業開始蓬勃發展起來，所有極盡誇張變態之能事的元素也都被陸續加入新遊戲中。

絕大多數人（包含政府官員在內），都認為男人是可以將現實與遊戲畫分清楚的。就算越來越多女人遇害，越來越多男人變成強暴犯，他們還是堅稱這個理由，並說這只是少數例子。女人們只好寄望警察能夠把所有「少數的」害群之馬通通都抓入監獄裡。不過這個文明的時代因為沒有死刑，加上監獄還像度假中心一樣舒適，反而讓更多的男人前仆後繼的覺醒成為強暴犯。抓了一個，誘發了兩個，強暴犯還是滿街跑。結果造成沒被強姦過的女人越來越少，只被強姦過一次的女人也越來越少……幸好文明時代的女人不覺得貞潔比性命重要，不然每天學古代女人為貞潔上吊自殺的不知有多少。

而這種可裝卸乳房與陰道裝置，就是在這樣的環境下被發明出來的。只要裝上這個裝置，就可以將乳房與陰道放在安全的地方，等到需要用的時候再拿出來用就好了。畢竟，就算被強姦是家常便飯，還是沒有人希望被強姦。這就很像是雖然被醫生打針是人生中難以避免的經驗，但是沒有人喜歡被打針的邏輯是一樣的。

不過由於這裝置的費用實在是太昂貴，剛開始銷售的狀況並不理想。直到全國首富再婚之後，首富的二十歲美麗妻子對外公開了她吸引首富的祕方——她靠著長年使用可裝卸乳房與陰道裝置換來的純潔完璧之身。

此後訂單便如雪片般的飛來，可裝卸裝置成為每個年輕女孩最夢寐以求的東西，勝過一切名牌行頭。

但現在這樣東西也失效的話，那還有什麼是有效的？馬里不禁激動起來。花了這麼多錢得到的結果卻是她還是有可能被玷污而永遠沒有翻身機會，這叫她情何以堪？

受不了刺激的她激動尖叫：「那你應該要早點告訴我！我不要裝也不要買！反正也是浪費錢！」

「不是，話不能這樣講，您知道那群強暴犯現在都攻擊哪個地方嗎？」

「還有哪個地方？」

「後門。」他說的相當委婉。「就是那裡，不只有女人。有些比較嬌小的男人也會被攻擊這個地方。所以我們這個裝置最近相當受歡迎，因為蠻多男人也裝了。」

「你的意思是叫我再裝一套裝置？」

「這……是沒錯。但是我只是建議而已，要不要裝還是看您啊！我只是建議：現在這類犯罪的比例越來越高，如果真的想好好珍惜您自己的身體，那建議還是連這個部分也一起做比較好。換個角度想想吧！就算保住了那裡的第一次，但要是後門滿目瘡痍意思還不是一樣？更何況，要是被攻擊後門，可是比那裡更痛，而且更容易被感染疾病。」

「你幹麼要告訴我這個！我又沒有錢買你的東西！」一想到自己花了這麼多錢，還是沒有辦法晉身純潔俱樂部，不禁悲從中來，哭著說：「你這樣講到底要我怎麼辦嘛！我想裝！我也想裝！可是我就是沒有錢！」就算要她再去辦分期貸款，以她現在的財務狀況，她也貸不下來了。

難道窮人就注定什麼都沒有嗎？一直以來她的夢想就是跟那首富續弦的妻子一樣，好好的保住純潔之身，找尋一個真正能夠拯救自己脫離窮海的男子。但不管她再怎麼努力，再怎麼小心翼翼的隱藏自己女人的身分存錢賺錢，甚至花到身無分文還預支了自己往後的薪水，卻還是跟純潔之身無緣，那她怎麼能展露自己真正的美麗面貌吸引值得的男性而不被攻擊，又怎麼能夠如願以償？

他歉疚的低頭說：「對不起，我不該這樣說話。」

馬里還是不斷哭著，邊哭邊說：「都已經說了，對不起就有用嗎？」

「是沒有用沒錯，不過我倒是有方法可以讓您如願。」

「還有什麼方法？難道你要免費送給我？」她知道他不可能再讓自己辦貸款了。

「嘿，我也很想送給您，但老實說我自己也沒有多餘的錢了。錢都在這。」他指指自己下體說：「這是自己貸款跟公司買的。」

她簡直不敢相信這世界上竟然會有這麼壓榨員工的公司：「為什麼？這是基本配備，公司應該要提供才對啊！」

「如果不裝，就不能出勤。如果不能出勤，就不能升遷，那很快就會被其他有裝置的人給取代。」這也是大環境造就的無奈之一。他莫可奈何的聳聳肩，不願再提這個私人部分，回歸正題：「再過一個月，我們公司就會推出一套全新的行銷方案，專門為平民女孩設計的。只要願意將自己的可裝卸陰道放到公司保存，當做擔保品，就可以換取一套暫時不需付款的可裝卸裝置。等未來您有足夠的錢，就可以把可裝卸陰道贖回去了。」

「這……不就是拿自己最珍貴的東西做抵押嗎？要是贖不回來，那不就永遠都沒陰道了？」這等於是拿女人最重要的東西當賭注，馬里不禁覺得可怕。

「呵呵！不可能贖不回來的啦！」他說的相當輕鬆。「只要有能力再貸款，就可以贖回來啦！況且現在闖空門的人也不少，難道不怕東西放在家裡被偷走了？這麼貴重的東西，放在我們公司裡面集中管理反而安全吧！」

「說的也是。」馬里相當清楚，她又要被他給成交了。

5

三年後，馬里來到了純潔白兔公司總部，一樓客服中心。

「很高興為您服務。」帶著帥氣微笑的年輕男服務生熱心招呼著，先幫馬里拉椅子讓她坐下，再殷勤的去倒了杯咖啡。

馬里將左手擱在桌子上，半刻意的逗了逗她左手無名指的鑽石戒指，讓它發出絢麗光彩。他忍不住讚歎：「您的戒指好漂亮啊！」

「喔？我是不覺得漂亮，只是一克拉的戒指看起來比較體面一點。」她逗了逗戒指，左右比了一比。

「一克拉鑽戒要花很多錢買吧？」

「還好囉！過幾天我就要結婚了，婚戒買五克拉的，那才要稍微花多一點。」她的臉上洋溢著幸福的笑容。

「那真是恭喜您。」男服務生誠懇的祝福著，送上咖啡後才自馬里對面坐了下來。她這時才注意到他的左胸口貼了一張藍色的微笑符號貼紙，上面寫著「我很純潔」四個字。代表的是眼前這位男服務生跟當初那位送貨員一樣，都貸款買裝置，把自己具有威脅性的下體放在家裡了吧！

那可是跟以前的自己一樣的可憐，但幸好現在她已經脫離苦海了！

雖然她的未婚夫不是首富，但至少也是全國排名第四十七的富豪，已經足夠讓她永遠告別那套裝置。

馬里等會兒還要去忙婚禮彩排的事情，是以直接對男服務生說明來意：「我要來領回當初放在貴公司的東西。」

「好的！請您填寫一下這張表格。」男服務生遞給她表格跟筆。填完後交給男服務生，沒多久他便拿來了一個黑色盒子。並將東西放在她桌前。

馬里將已經簽寫好的支票遞給他，拿起黑色盒子順便問了句：「請問你們洗手間在哪兒？」

「這個方向，直走到底右轉就可以看到了。」隨著馬里離開，男服務生也跑去招待其他人了。

沒想到，過沒多久突然從洗手間裡面傳來歇斯底里的驚叫聲。

「哇啊——！這是怎麼回事！這是怎麼回事！」

頓時客服中心內，不管是服務生還是客戶，所有動作通通都停止了下來，大家不約而同的往聲音發出的方向看去。

只見馬里驚慌失措的跑了出來，繼續叫著：「這不是我的陰道！這不是我的陰道！我從來都沒有用過！怎麼會又臭又髒！這不是我的……」

好幾個男服務生趕緊圍了上去，將她半推半擠的帶離了現場。

頓時，女性客戶們滿臉驚慌，問著服務自己的男服務生說：「這是怎麼回事？」

服務生們只好根據公司急難應變的標準操作規範應答：「這種狀況我們已經習以為常，有些女人會假藉拿錯陰道的名義，要跟我們換取其他沒使用過的純潔陰道。但是請您放心，我們是絕對不會換給她，也絕對會好好保存您的陰道。」

6

馬里被帶到純潔白兔公司拒絕客戶參觀的內部會議室中，口中兀自大喊大罵：「你們搞什麼鬼，一定是你們換了我的東西。你們完蛋了！我可是全國排名第四十七富豪的老婆，我絕對要請律師告倒你們……」

沒多久，來了個穿著西裝領帶的經理級人物，低頭鞠躬道歉：「對不起，馬里小姐！會發生這種事情我們也始料未及。其實不關我們的事情，這是因為先前那位負責服務您的離職員工私下將您的陰道偷偷掉包拿去販賣造成的，但是本公司願意道義上賠償您的損失。」

「賠償？你們能賠什麼？能賠多少錢？我根本不需要錢！我已經夠有錢了！我要我的陰道！我要我原來的陰道……」

由於馬里歇斯底里的大聲嚷個不停，經理只好放開嗓門對她大喊：「我們決定賠償您一個比您原來的陰道還要好的陰道！」

馬里頓時安靜下來，望著那經理十分認真誠懇的臉，疑惑的問：「哪還有什麼更好的？」

「十四歲女孩的陰道，又緊又純潔的代表，全天下男人的最渴望！」他咧嘴微笑，彷彿覺得馬里一定會接受自己的提議一般。

「那她呢？那個女孩怎麼辦？我把她的陰道給拿走，難道不會構成犯罪嗎？」這年頭已經有人因為偷竊陰道而被送去關了。

「您放心好了，這是因為分期付款繳不出來而被扣押的陰道。不可能再被贖回去了！如果有，那這個部分就由本公司全權承擔。」

這下，馬里就算生氣也莫可奈何，她可不想讓自己未婚夫所期望的「純潔無瑕的馬里小姐初夜」落空。她怕跟他的婚姻一旦不保，自己又要回到貧窮的世界去，只好答應交易：「好吧！你們最好不要再跟我亂來，不然我一定會告倒你們！」

「不敢不敢！我現在就叫人把東西送上來給您試！不滿意我們再換給您，直到滿意為止。我衷心希望不要因為這點小瑕疵造成您對我們公司有不良觀感，希望未來還能為您服務。」經理不斷的哈腰鞠躬。

馬里卻覺得好笑，搖頭說：「不可能啦！我再也不需要了。」

「不不！當然需要！東西用久了總是會變差嘛！未來您一定會需要更好的，我們將很樂意為您提供相關服務，呵呵！」

望著經理那帶著暗示的笑容，馬里突然恍然大悟她的陰道為什麼會被掉包了。三年前的她還真笨啊！怎麼會去相信那什麼該死的「為了平民女孩設計」的行銷方案？

幸好她不再是平民女孩了。

得獎感言　寶利瑪

實在很想寫個一千字的感謝名單，但礙於篇幅不夠只好放在心裡。實在很想把心事寫出來，但礙於害羞說不出口只好寫在小說裡。實在很想多發表幾篇小說，但礙於能力不夠只有這篇能貼在這裡。早先家人們看到拙作，總擔憂我要不要去看醫生，有沒有神經病。但現在終於有個光明正大的理由可以寫些光怪陸離的東西……真讓我鬆了一口氣。希望有榮幸與各位交個朋友http://blog.xuite.net/polymerization/blog

評審講評　陳克華

科幻小說可以「入世」到什麼程度？這篇「純潔行銷」在大玩人體器官拆卸遊戲的背後，「假設」了一個男性暴力至匪夷所思地步的世界，女性不得不掩藏她們的性器官以免遭受攻擊。然而作者高明之處在於不往器官移植的精密細節或倫理議題著墨，卻逐漸呈現女性「珍惜保全」她們的性器原是為了取悅雄性（處女情結），進一步爭得物質保障（嫁入豪門）的可議心態，血淋淋地將男性沙文社會物化女性（以及女性情願被物化）的真實情節，以科幻兼色情卡通的手法誇張而露骨地呈現。而情節推展愈後愈見精采，將資本社會「一切皆可以以金錢換得」的心態，藉由「處女陰道」的保管與盜賣，一覽無遺。作者除了科幻的情節，還不時穿插現代社會各種千奇百怪的「行銷」手法的細節，對「台灣式資本主義」的運作徹底揶揄了一番，有心的讀者當可在閱讀過程當中不時發出會心的一笑。而小說中「純潔白兔」公司的男性送貨員亦是自己公司剝削的對象，使得本篇免於「太過女性本位」的命運。

客星

小麥

名次：三獎

「至和元年五月，客星晨出東方，守天關，晝見如太白，芒角四出，色赤白，凡見二十三日。」

《宋會要》

傅暉在黑暗中醒來。他看看床頭的電子鐘，鐘竟然壞了，顯示幕上一排整整齊齊的「8」字。現在幾點了？正對床頭的大窗簾邊上，透出一縷淡淡的紅光。普林斯頓清晨的窗外，應該是新澤西憂鬱的灰藍色天空。於是他光著腳蹭下床，迷迷糊糊地伸手拉開窗簾。

他笑了。

日有所思，夜有所夢。但這個夢做得也太應景了。窗外是漆黑的太空，滿天星斗都被撲面那顆碩大無朋的恆星壓得黯然失色。恆星占據了一半左右的視野，熾白中浮現淺紅色，日珥飛騰，光焰吞吐。然而這團熊熊烈焰並不刺眼，傅暉甚至能清楚看見恆星表面深淺不一的對流漩渦。整個房間被映得一片妖紅。

傅暉忖道：典型的紅巨星。這些天，自己被與S教授之間的爭論搞得筋疲力盡。六個月之前，傅暉在挖掘哈伯天文望遠鏡資料時，發現了一些奇怪的東西。S教授在普林斯頓大學物理系專攻恆星演化。他研發了一套體系，通過研究超新星殘骸，來計算恆星生前的質量。傳暉的工作就是用他的計算模型來驗證哈伯望遠鏡的資料。計算的結果，絕大多數正如理論的推測，但有一兩個嚴重的例外，他算出的恆星質量遠不夠形成II類超新星。於是S教授的體系是否正確，與傳暉的是否稱職，就爆發了一場曠日持久的冷戰。S教授在學界聲譽極好，並非以勢壓人之徒，但傳暉還是有點鬱悶：誰叫他是自己的導師，而自己反復演算的結論又全然離經叛道呢。按S教授的諷刺，「如果傳沒有算錯，宇宙中每一顆紅巨星都會爆發成超新星！」

然而這個夢也太荒唐了，細節也太過精密了。傳暉目不轉睛地盯著紅巨星，毫無夢境的感覺。窗外的恆星，表面的渦流纖毫畢現，如果現實中是這樣近的距離，自己早已化為飛灰，更別提怎麼可以用裸眼直視，彷彿恆星的光度為了眼睛已經過濾到最舒適程度。他研究著周邊的星空，八年攻讀天體物理學的素養有條不紊地工作起來：這個視角不是在地球，各個星座的相對位置都發生了變化。但是變化有著相互的一致性，好像精確地調整到了銀河另一側的某個地方……

夢，有這麼精確的嗎？

冷汗開始滲出他的脊背，他不由自主地想把手指放到牙齒之間，做出那個通俗電視劇式的驗證動作。這時候，臥室的門被敲響了。

敲門聲很有禮貌，但傳暉仍然被驚得一跳。他摸著門把手，琢磨著打開門外面是不是無盡虛空。別怕，這是夢，夢是沒有邏輯的。

門外仍然是客廳。兩位衣冠楚楚的紳士站在門口，和藹地微笑著。

「你好，傳暉。你不是在做夢。現在你在離地球三千一百光年之外。你是我們尊敬的客人，被邀請來解決一項爭端。我們是宇宙中兩個古老種族的代表，當然，這不是我們真正的形象，只是代理，為了你的舒適而創造。你可以叫我藍先生。這位是紅先生。我們真正的形象你無法理解。窗外這顆恆星，你應該很熟悉吧，一顆紅巨星。我們在離它三億公里的距離。太近了，是不是？一小時之內，這顆紅巨星就可能爆發成為超新星。而此事是否發生，將由你來決定。」

惡作劇！傅暉忿忿地想。今天是愚人節麼？

還沒來得及出言頂撞，紅先生搶著開口了：「這不是惡作劇，今天是地球西曆十月十九日。作為一個天文物理研究生，我們期待你對現實有很高的接受能力。沒錯，我們能閱讀你的思維，甚至也能隨意影響。你昨晚入睡時在仔細考慮申請換導師，沒告訴過任何人，對吧？但是正式聽證開始之後，我和藍先生會相互用能力確保，你的思維將是獨立的，也不可閱讀，這樣你就能作出獨立的判斷。」

傅暉雙腿戰慄，驚駭欲絕。兩位紳士體貼地一言不發，等待他調整情緒。沉默良久，傅暉才伸手示意，三個人在客廳中坐下。兩位紳士微微頷首，像是對他的接受十分滿意。

落地窗外，紅色的恆星充塞著整個風景，寂寞地等待著。

「我怎麼到這裡的？」

「這不重要，對我們來說很容易。首先恭喜你！你沒有計算錯。S教授也沒有錯，他的問題是我們造成的。你遇到的那兩個例外，都是我的種族干預的結果。那兩顆紅巨星本來都不夠爆發需要的質量，是我們點燃了它們。你應該很清楚，超新星爆發創造了宇宙中豐富的重元素，並且噴灑出來，由此才有了行星，有了生命，有了你我，當然，也有了紅先生這樣的種族。」藍先生說到這裡斜了紅先生一眼，那眼神中有一種絕對非人類的怨毒，在他人類的臉上極不協調。

「先別急著傳道，聽證還沒有開始。」紅先生淡然答道。「開始之前，我先向你說明緣由和規則。藍先生剛才說的是自然的超新星爆發，但我們面前這顆紅巨星，質量還差一些。如果無人搗亂，五億年後它將燒盡，退化為白矮星。藍先生的種族喜歡以暴力手段推動超新星爆發，而我的種族喜歡順其自然。我們都有自己的理由，公平地說，都是生死攸關的正當理由。我們雙方都有十億年以上的文明歷史了。藍先生們在星系間遊蕩，不但利用自然爆發的超新星，也尋找合適的獵物強制爆發。而我的種族分布極廣。當他們踐踏到我們的家園時，爭執就發生了。過去一千萬年裡，我們之間就發生了三場大戰。我的先輩們傷亡數千億，而最後一場戰爭中，也有兩位高貴的藍先生被毀滅了。」

傅暉對這個傷亡比例目瞪口呆。然而藍先生並不覺得好笑：「我們種族真正的成員，只有八十二位領主。領主之外的人口並不算數……這個你現在不好理解，等會兒你會知道。至於他們這種無趣的東西，誰知道有多少？也許比宇宙中的恆星還多！」

紅先生並不理睬對手的挑釁。「他們被打痛了，從此不敢再無視我們的存在。最後一次戰爭之後，我們達成了條約，如果對引爆某顆不該成為超新星的恆星有爭議，我們會儘量避免戰爭，互相陳述理由和利益。如果還是不能達成一致，就邀請離這顆恆星最近，但不受超新星爆發影響的智慧生命來進行仲裁。這就是你為什麼會在這裡。你只需要聆聽我們各自的理由，然後回答是或者否就行了。我們雙方早已脫離需要謊言的階段，你不需要理由，也不需要對我們任何一方負責，只需要相信我們的陳詞並選擇一方。我們莊嚴承諾，不管這個仲裁者是多麼低級原始，他的決定必須得到執行。事前事後不得有任何形式的接觸、威脅、賄賂或者報復。如果哪一方違反保證，另一方有權宣布無限制戰爭。仲裁之後你將被安全地送回地球，關於此事的記憶將被全部抹掉。你的報酬是：我們會儘量回答你提出的七個問題。你隨時可以提問，當然，與聽證過程有關的詢問不包括在內。你應該明白我們的答案有多少分量。所以，謹慎選擇你的問題。」

傅暉一直處於暈眩狀態的大腦中，終於出現了一絲亮光。眼前是神一樣的存在，而他們將回答七個問題！

「問題和答案的記憶也會被抹掉嗎？」

藍先生並不回答，只是怪怪地乾笑了一聲。

「……當然。我們雖然是對手，但我們都尊重宇宙中智慧生命的基本倫理。人類這樣程度的文明，在開始星際旅行之前，不應當受到超級智慧的指導。否則你們獲得的力量會與你們的智慧程度不相稱，只能傷害到自己。」

紅先生說這話的口氣也相當怪異。傅暉很失望：「那這個報酬對我有什麼意義呢？」

「沒聽說過嗎？朝聞道，夕死可矣。何況你並不會死，只是忘掉。」紅先生笑容可掬。他好像對傅暉小算盤叮噹的態度並不生氣，反而頗為欣賞他的放鬆。

傅暉被雷得說不出話。這些傢伙對我們到底了解多少？我們這樣「原始」的文明，他們也有興趣嗎？

「可以開始了嗎？」

「好吧。我想先問問題。」

「請。」藍先生和紅先生對視一眼，同時坐正了身姿。沒有任何理由，但是傅暉感覺到，現在他的思維終於屬於自己了。

「光速可以被超越嗎？如果超越光速，時間旅行可能嗎？」

「還在想你怎麼來到這裡的？這兩個問題是相關的，所以只算一個。」紅先生大度地答道。「以你們的水準，物理學算發展得不錯了。愛因斯坦的相對論不算錯，但是它相對我們理解的宇宙，還需要兩次升級，就像相對論針對你們的經典物理學的那種升級。簡單地說：光速是可以超越的。你來到這裡花的時間不到一秒。但時間旅行是不可能的。時間的單向勻速流逝，其中內含的因果邏輯性，是宇宙生滅之間不可動搖的剛性尺規。你既不能回到過去，也不能去往將來。我們也不能。愛因斯坦的理論只是真實世界在四維空間中的良好近似，他把維度想像得太簡單，又把時間推測得太複雜了。具體他錯在哪裡，我無法向你解釋。你缺乏太多的過渡理論。」

傅暉滿意地點點頭：「至少我不用擔心回去之後已經是幾千年後了。」

藍先生笑道：「正確！一切都將照舊。現在我來告訴你，我的理由。」

「我們這一族，是這個宇宙已知的，最長壽、最強大、最智慧的生命。我們中最年長的，壽命長達數十億年，而且不會自然結束。我們的軀體可以由整個的行星構成，我們的力量足以引爆恆星，粉碎行星，隨心所欲地創造智慧和生命。我們的知識和技術，我們的存在形式，人類的語言甚至無法描述。由於我們過於強大，數量必然稀少，否則宇宙提供不了足夠的生存空間。我們對能源和物質有著極度的渴求，尤其是物質。現在的宇宙中，能源是充足的。但是構成生命和生命環境的物質卻極為珍貴。我們需要巨量的重金屬元素來維持領主的生命，以及培育我們的……幼體。這個巨量是榨乾無數顆行星也無法滿足的巨量。你應該知道，行星在宇宙間本來就是稀少的。我們忍受不了絕大多數的恆星燒盡之後變成白矮星直至宇宙末日，極度浪費宇宙賜予的物質。於是我們有計畫地引爆紅巨星，這些誘發的超新星會大量合成重元素，再催生新一代恆星，以及更多的，可利用的行星。如今的銀河系，每年平均五十顆超新星爆發，你覺得太少了嗎？其實自然爆發的只有不到四十顆。銀河系太老了。如果沒有紅先生們的干擾，我們光在銀河系，每年就會引爆一百顆以上。當然，我們很小心，從不會在離智慧生命過近的地方引爆，即使這些智慧生命像你們一樣原始。——除了他們。他們簡直無處不在，每找到四顆合適的紅巨星，其中就會有三顆被他們霸占！」

「你說的誘發，是類似II類超新星的爆發，對吧。即使原始如我們人類，也知道I類超新星，那就是白矮星吸聚質量，逼近錢德拉塞卡極限時，一樣也會爆發成超新星。白矮星宇宙中到處都是，你們何不利用它們呢？I類超新星一樣會製造重元素。」

藍先生對傅暉的敏銳好像有點驚訝。「按照你們的分類法，I類超新星是很難引爆的。因為它通常需要雙星系統來吸聚質量，即使強大如我們，想引爆它也要費太多力氣。其實超新星共有三類，其中一類你們還沒發現。我們能利用的，只有把紅巨星催化成II類超新星。現在請你看窗外，你就能理解我們的需求。」

窗外，紅巨星消失，幻化成了另一片陌生星空的影像。一顆巨大的行星有著類似土星的燦爛光環。視野拉近，光環中有無數龐大到不可思議的，星際戰艦一樣的東西急速往來。它們顯然不是自然存在，每一個看起來都各不相同，都無比複雜，都武裝到了牙齒，每一個之間都在互相廝殺，摧毀，吞噬。大大小小的金屬碎片充斥著空間，高能射線攻擊交織成明滅的大網，千萬個核爆閃光在每一秒發生。從近處看來，整個行星的光環也非自然形成，而是完全由它們的推進器軌跡，武器閃光和屍骸組成！戰事始終熱烈，似乎亙古以來，永無休止。

這幅宏大的異象把傅暉嚇呆了。雖然不能理解這是什麼意思，但是其中顯而易見的極端力量和狂暴，讓他渾身冰冷。

藍先生在他背後謙遜地解釋：「這只是我們幼體的最低形式。在這個行星競技場，幼體們出生，競爭，互相吞噬，不斷進化。全部資源由一個領主提供，最後也只會有一個生存者。生存者將參加下一階段的競爭，競爭的形式是我無法向你演示的，消耗也是指數增長的。經過很多個階段的競爭，大概需要接近一億年，最後的勝利者，完成了最後的進化，才能取得領主的資格。他的榮耀將和每個領主一樣，永垂宇宙。在此之前，他們與其餘的世界是完全隔離的。這是我們必然的繁殖方式。雖然我們也能回收部分物質，但不引爆更多的超新星，星系中的重元素還不夠我們消耗，我們的後代很快就會面對資源枯竭，我們的生活方式也將不復存在。」

「你理解了嗎？」

傅暉愣愣地點了點頭。他還沒有從震驚中恢復過來。

藍先生舒適地靠回了沙發。傅暉終於透過氣來：「第二個問題：我們的太陽會是怎樣的結局？」

「這個簡單。質量太小，形成紅巨星之後也不方便引爆。三十億年後，它在紅巨星後期，將劇烈膨脹，吞噬掉地球。你們雖然現在很低級，但發展得很快。如果到那時還存在，應該早就遠走高飛了。也許會有某種瘋狂繁殖的生物來填補空缺……哈。最終太陽會變成白矮星，由於是單星系統，它也無法吸聚質量變成超新星。它會越來越冷，直到死寂，與宇宙一起孤獨終老。」

「宇宙的結局是怎樣的？」

「第三個問題？」

「是的，請回答。」

「你們現在認為那個宇宙密度常數Ω恰好等於1，宇宙會在膨脹與收縮之間無窮振盪，對吧？呵呵，你們的審美感覺還真不錯。可惜只是一廂情願。這個概念本來就不是一個常數能夠表達的。我們理解的結局是，宇宙會無限膨脹下去，直到所有活動停止。到處一片絕對黑暗和冰冷，所有生命都將消亡，直至永恆。至於為什麼會是這樣一個無聊的結局，我們也不知道。」

傅暉也感覺味同嚼蠟，胸口一陣發悶。

「你們怎麼這樣了解我們？我們人類這樣低級的物種，你們為什麼有這麼大興趣？你們一直在偷窺我們嗎？我只是普普通通一個人類，為什麼選擇我？這算一個問題吧！」

藍先生聳聳肩：「為了對你的影響公平起見，我們平分問題的回答權。現在本來也該他陳述了。」

「我的種族同樣古老，也許不算最強大的，更是非常短命。用你們的時間計算，我們每個個體的生命是精確的二十一年零六天十一小時。至於智慧，我和藍先生有不同的標準。我們的數量無人知道，包括我們自己。宇宙中已知的每個大星系都有我們的家園。我們的成功在於集體生存。我們的社會中，階級、規則和分工極其複雜，我們的意識彼此相連，我們上代的所有記憶都會遺傳給下一代，代代累積，而且我們不會忘記任何事。我們的意識也會部分遺留到下一代，從這個意義上講，我們也是永生的。我們開始時，和人類是一樣的原始有機生命，但是我們經歷了十億年的自然進化和主動進化，已經把自己完全改造。你可以認為我們沒有實體，但我們的精神、思想和行為是確實的存在。我們的技術一點也不遜色於他們，尤其是通信與協作方面的。我們適應嚴酷環境的能力，沒有任何物種可以相比。我們並不喜歡爭鬥，為了完全屬於自己的家園，我們選擇進化為適合生存在紅巨星系統中。這裡沒有其他的生命，能源充足，而且在宇宙中非常豐富。也只有我們，才能在這樣的環境中安居樂業。」

「星際間另有一個霸道的種族，雖然他們居高臨下，自稱不願傷害其他智慧生命，但他們的行為卻毀滅了我們的家園。雖然他們非常自負，曾經認為自己的力量足以橫行宇宙，但事實證明他們不能戰勝我們。我們早已進化出了傷害他們的能力，利用無數個體意識滲透，斷絕他們吸收資源的途徑，直至乾枯而死。除了他們自己，我們也許是宇宙中唯一能傷害他們的生命。現在，他們引爆任何紅巨星之前，必須與我們商量，如果我們的居民不算多，我們會選擇事先遷居。但是這個星系中生活著二十億個我們，集體的意志要求這位藍先生退卻。換了一千萬年前，這會是一場戰爭，現在，我們只要求仲裁。」

「至於你的第四個問題，我們和藍先生都並不特別關注你們。問題是你們實在太吵了！從你們發明無線電到現在，我的記憶才多累積了五代，你們的信號就從零零星星變得響徹半個銀河旋臂。我們和他，在太陽系都植有自己的接收器，任何痕量的電波信號都會被接收到，整理好，並用超光速轉發回來。藍先生有專用的意識分支來處理你們的信號，我們則有上百名個體以理解你們為職業——其實是非常冷門的職業。我們監聽每一個電話，記錄每一段數位化傳播的文字，你們以為最保密的有線通信，也會有微弱的感應信號，在天王星軌道上都能聽見。你們是一個有趣的種族，好像沒有任何私密感，沒發展任何遮罩空間信號擴散的技術。」

「宇宙中找不到更高的權威來解決我們兩族的爭端。換了你們人類遇到這種情況，也許會擲骰子來解決，很好玩的事！可惜我們雙方的技術中，已經沒有任何隨機過程了。我們只好求助於第三方的智慧生命來決定，你就是我們的骰子。」

「選擇特定的仲裁人，必須雙方同意。在你之前，我們否決了二十一個地球上的候選人。你確實沒有什麼特殊的，好處就是你學習天文物理，能夠很快理解問題的實質。你們是離這裡最近的智慧生命，銀河系中智慧生命很少，除了在座之外，只有五種，其中你們是最原始的。對於仲裁者來說，原始一點反而好些。至少我是這麼認為的。這個回答滿意嗎？」

傅暉的頭腦中已經亂作一團。紅先生的陳述和答案，已經讓他難以消化。旁聽的藍先生臉上詭異的表情，更是讓他覺得自己錯過了什麼重大的隱情。他知道，雙方都已陳詞，現在就是自己給出裁決的時刻，但是他還沒有問完問題。某條模模糊糊的線索在他的潛意識中跳躍，在他想明白之前，已經脫口而出：

「第五個問題：西元一〇五四年，宋史至和元年記載的天關客星，那是我們歷史上一次著名的超新星爆發。我們現在認為那是一顆II型超新星，在距離地球六千五百光年的金牛座，爆發的殘骸就是蟹狀星雲。請問那也是一次人類仲裁的結果嗎？」

兩位紳士的態度都起了難以形容的變化。傅暉一直認為這兩個代理人偶的臉，模仿人類的情緒非常傳神，但是現在他發現自己錯了。眼前是兩個完全陌生的異物。他們各自的情緒，互相之間沉默的交流，傅暉完全不能把握。

「是的。」

紅先生一反殷勤周到的常態，只用兩個字冷冷地回答。

「你是作為一個有智慧的個體來裁決。請不要有物種心態，也不要受先例影響。」藍先生的笑容只能用假惺惺來形容。

「第六個問題：那次仲裁之後，你們也把仲裁者的記憶完全抹去了嗎？能告訴我他的名字嗎？」傅暉已經完全顧不得物理學者畢生難求的「聞道」機緣了，他有一個荒誕至極的猜想。

「請珍惜你的機會，不要問這樣無關痛癢的問題。」紅先生越發冷淡。

「我聽說選擇問題是我的權利。」

「輪到我回答了。」藍先生插了進來。

「你，聰明的程度超過我們的估計。那一次的仲裁，也是發生在我和另一群紅先生之間。當時的那位代表紅先生，輸掉裁決之後所做的事，我只能稱之為作弊。他大概是歸咎於仲裁者不夠智慧，於是在我們共同處理仲裁者記憶時，他偷偷做了手腳。我得承認，他們在理解低級生命和玩弄意識的技術上，比我們要高明一點。他瞞著我留下了一些記憶的痕跡，甚至留下了一些超人類的意識驅動能力。那次的仲裁者不是一個人，而是三個。裁決的時候，一個人支持我，一個人支持紅先生，還有一個模棱兩可，但是最後還是偏向了我。二比一，我贏了。」

「西元前五千五百年，那時候的人類處於什麼文明狀態，你應該知道吧？只能非常勉強地稱為智慧生物。為了讓他們理解問題的實質，我們不得不自稱為神，用類比附會的神話來解釋我們的情況和要求。因此他們的記憶不但殘缺不全，而且是歪曲的。然而，他們回去之後，都擁有了一些紅先生贈送給他們的奇怪意識能力。這是多麼殘忍的罪行！紅先生的行為，其實足夠成為我宣戰的理由。但我畢竟贏了裁決，並不想跟他認真計較。那三個人的名字，根據一百年中來自地球的資訊，都已經改變了。所以他們原來的名字對你沒有意義。如果你一定要知道，他們都是和你一樣的東亞人種，西元前五千五百年，地球的東亞歷史上好像稱為炎黃時代……那位紅先生，真是高級智慧生命的恥辱。你也許現在還不理解這一點……」

紅先生的聲音如同寒冰：「那一位是我直系的祖先。我記得每一個細節。」藍先生行了一個誇張的致歉禮：「我沒有任何歪曲，同意吧？」

「那次藍先生贏了。你們的歷史記載，藍先生的支持者和他的同盟者，回到地球幾十年後，也戰勝了第三個人。他們本來都是和你一樣的平凡之輩，是我的祖先改變了他們的命運。也改變了你們種族的文明進程。我並不同意他的行為。而且我要誠實地告訴你，不要為此對我或者我的種族感恩。外力改變低等智慧種族的文明進程，使其躍進，這不見得是一種福音，絕大多數情況都不是。」

傅暉垂下頭，默默思考著問題和答案。兩位紳士安靜地等待著。時光勻速流逝，一如既往。

「超新星爆發時，待在這裡安全嗎？」

「第七個問題？」

「不，這是我的答案。我想親眼看看。」

藍先生臉上，終於露出了一次可以稱為真心實意的笑容。紅先生毫無表情。

「當然安全，這所房子在一個小小的絕對隔離空間裡。這方面的技術，你在宇宙中找不到誰可以更信任了。為了讓你看清楚，我會把距離拉近到一千萬公里。」

藍先生向紅先生微微欠身。紅先生答禮之後，也走到窗邊，和另外二人並肩而立。窗口的視野已經完全被恆星表面充滿，無窮無盡的火焰之海。

「四十秒鐘之內，我們將完成全部疏散。」

「謝謝。」

紅先生轉向傅暉：「快八千年過去了，沒想到你們還是一樣的愚蠢。我告訴過你，外力的干預並不是福音。你沒有義務向我解釋，但是如果你願意，我還是想知道你的理由。是你天文學者的好奇心？是你對祖先的盲從？還是你自己就崇拜藍先生這樣的存在？你知道，經過了今天，我被永遠禁止接觸你的思維了。我也絕對不會再犯我祖先的錯誤。」

藍先生向紅先生投去警告的目光。

這一瞬間，超新星爆發了。即使是身受其害的紅先生，也被這宇宙間至大的壯觀深深迷住。

紅巨星升騰的表面，如同一次爆炸錄影的倒放，迅速向內塌陷。從外至內，一層層引燃不受控制的熱聚變反應，氫、氦、碳、氧、氖、矽、鎳，直至中心無比緻密的鐵核，每一層燃燒的物質都多於太陽的質量，而燒盡速度僅以秒計，在傅暉震怖的注視中，如同整個星空被倒吸進去。整個恆星的質量失去了聚變壓力的支撐，彙集成極端強大的重力，猛擊在鐵核上，鐵核的反彈力向外炸開，一千億開爾文的高溫瞬間聚合外層物質原子，製造出所有自然重元素，並把恆星絕大部分的物質炸得飛散出去。

無限的光，宇宙一片熾白。

這顆超新星此刻亮過銀河系千億顆恆星光度之和。一年之中，它將持續這恆星壯烈死亡的輝煌。三千一百年後，其他的人類將得以目睹。

哪怕是藍先生動過手腳的窗戶，也無法瞬間適應這樣強的爆發。幾秒鐘過去了，屋裡才恢復暗淡。超新星的範圍已經急速膨脹，還在以光速的十分之一向四周擴散。窗外的天空中，除了光，還是光。

「該啟程了。」紅先生說。傅暉覺得他的語氣甚至可以稱為友善。他似乎也並不期待傅暉的答案。

「在我們清除你的記憶之前，你好像還剩最後一個問題？」藍先生有點疑惑。

傅暉心不在焉的問道：「你向上次那三個人自我介紹時，怎麼稱呼自己的？請告訴我當時你準確的人類發音。」

藍先生啞然失笑：「這也算一個問題？通常第七個問題都是：至高的神存在嗎？」

「我對那個沒有興趣。一直在想第七個問題，但你們回答不了。能夠回答的人，已經死去快八千年了。所以我隨便問個。請回答。」

「Chit-row。這是十五億年前，我肉身時代的名字。不太準確，人類發音只能模仿成這樣。怎麼了？」

傅暉轉向紅先生：「你聽明白了嗎？即使是你們這樣的生命，也會犯錯誤。在涿鹿之野戰敗的，不是你的支持者，恰恰是藍先生的支持者。你們只接收遙遠的電波，所以會想當然地推測遠古人類歷史。你們早就放棄了聲波語言，所以喪失了對人類發音的敏感性。你弄錯了他們後來的身分，Chitrow就是蚩尤，他使用了他崇拜的神的名字。傳說中他善使武器，驅策風伯雨師，這正是藍先生擅長的武力和驅使自然能量的愛好。傳說中他嗜食鐵石，這正是藍先生的口味。他大概也欣賞了藍先生的幼稚園，所以他的苗裔也流傳著百毒相噬，選出最強悍的那一個作為利器，甚至化入自身。炎帝為什麼叫炎帝？因為他崇拜你的紅巨星。黃帝為什麼是黃帝？因為他中庸，顏色在你們二者之間。傳說黃帝召喚旱魃戰敗蚩尤，這難道不是你祖先的贈禮，意識驅動力，枯竭資源的戰爭方式？你的哲學和生活方式在遠古的中國勝利了。我，可以說正是你的傳人。」

「我不能向你解釋理由。我的腦子被你們弄得很亂，我短短三十年生命裡積攢的知識和好惡，我身為炎黃子孫的驕傲和傷痛，現在全都像藍先生的幼體那樣，混戰一片，互相殺戮吞噬。我只能用我的第七個問題回答你，但這也是你無法回答的。我只想請問蚩尤：你也是我的祖先，當年你為什麼會失去神前結下的聯盟？為什麼一定要作戰，又為什麼會戰敗？為什麼你就不能在華夏文明中留下一點痕跡？」

傅暉抱著頭，苦悶地跌坐在椅子上。兩位紳士心懷憐憫，看著這個聰敏、幼弱、無助的客人。藍先生緩緩驅使他睡去，紅先生抹去一切的強大精神力量進入了他的夢鄉。

得獎感言 小麥

感謝觸動這篇小故事靈感的那位朋友，他也是教我認識星星和宇宙的老師。我們曾經有相似的社會與文化困境。在這個故事中，我試圖創造一個最奇特的背景，在此背景下探索這種困境的心理影響。也感謝所有與此產生共鳴的讀者和評委。

評審講評 葉言都

在科幻題材開發將盡的今天，要寫好一篇史詩型的科幻小說實在困難，本文仍然向此領域挑戰，自屬有備而來。

文中設定宇宙演化中甚為「原始低等」的一個人類，竟因緣際會成為兩個高度進化文明間的仲裁者，使「各種階段智慧生命的心靈同時面對宇宙試煉」的主題得以展開，布局堪稱高妙。在此種巧妙的背景下，作者宏偉的企圖心得以藉並不複雜的情節展現。追尋中國文明的集體潛意識尚為其小者，對人性，甚至宇宙本質的探索也包含其中。文中人類仲裁者的決定，以及認為宇宙將無限膨脹，直到「所有活動停止」、「到處一片絕對黑暗和冰冷」等，主導了本文深沉的悲劇基調。在輕薄短小、熱鬧喜氣流行的當下，實為難得。

本文隱喻豐富，「紅、藍」最為明顯，還可以讓人聯想到集體主義與孤獨英雄、「高貴的野蠻人」等等，「七個問題」與《新約聖經》〈啟示錄〉的關聯也耐人尋味。倒是文中對科幻的「黑盒子」如超光速運動等還顧到以更大的黑盒子做出「解釋」，反而凸顯出兩次仲裁以宇宙的標準言未免時間、空間太過接近，而仲裁者都是中國人的身分也未免太巧合了。

無毛猴子

名次：佳作

柚臻

1

這個世界正在風化，眼前所見的一切盡是灰飛的沙塵。

北國的旋風吐出冰寒的氣息，扭曲著碎擰了樹木花草，冰凍了原本該萌芽的生機。沙漠化地質在吸乾最後一絲水分時，乾涸的地面撕裂開無數道網狀縫隙。

一隻蜥蜴跨動雙腿奔向陽光下折射著金屬光澤的銀藍色城邦，希冀著能夠找到另一處充滿生機的天堂。啪的一聲雷射光束掃過，瞬間射中地上的蜥蜴，蜥蜴從地面彈起的時候帶出一道沙塵，當牠再次墜回地面，已經沒有生命跡象。

「成功擊斃侵入者。」機械化的平板聲音響起，鏡頭同時鎖定在冒著煙的蜥蜴屍體上。

監控專員操作著鍵盤，掃描蜥蜴身上的病菌，確定沒有傳染源之後，才用機器手臂拾起蜥蜴屍體。在食物極度缺乏的時代，不管是蜘蛛還是螞蟻都是良好的蛋白質來源，更何況是一隻手掌大的蜥蜴，營養成分能抵得上十隻蟑螂。

看著螢幕上的乾燒蜥蜴，迪克咂了咂嘴巴，胃部湧上一股熟悉卻讓人厭惡的飢餓感。

身旁的亞當見狀，忽然想起重要的事情，他提醒迪克地說道：「今天是十五日，你該去抽脂中心報到了。」

「喔，天呀。」迪克發出哀號，那是他最不願意面對的事情。

抽脂中心不同於這個貧瘠的世界，它囤積著整個北國最多的脂肪量，是富足的象徵，卻也如同廚房頑垢般的油膩。

迪克看了一下時間，笨重的身子不情願地從椅子上站起，他希望自己已經減重成功，否則抽脂中心的專員肯定會在他肚皮上再刺一針。

他挪動腳步，打開監控室的大門，然後站在傳送帶上面，在面板上輸入抽脂中心的位置。很快地，他身下的金屬傳輸帶開始運轉，以穩定的速度載著迪克往前飛馳。這是二十三世紀裡面，他最喜歡的發明。

一下子，他身下的傳送帶便和數條不同的傳送帶交錯成同一條，而他身前的通道也開始堵塞，幾十名的胖子擠在單行的傳送帶上，那畫面看起來真是讓人覺得窒息。

迪克喘著氣，汗水已經從額頭冒出。他想這些胖子應該和他一樣，都是收到抽脂中心的通知信件，要求他們前來複查體重。

過了許久，終於輪到迪克進入抽脂中心，他熟練地爬進健檢膠囊中，一道掃描機的藍色光束快速從他的頭部橫掃過全身，由上到下檢查了他的身體機能，嗶嗶兩聲，膠囊再次打開，一旁的螢幕飛過數條符號與數字，最後亮起紅燈：「身高一百六十，體重八十五，體脂肪二十六，請抽取十公斤體脂肪。」

「啊，我的天呀。」迪克掐著肚皮，他六個月前才剛抽掉十二公斤的脂肪，為什麼半年之後又復胖了？一想到自己待會兒又要挨針，他就感到陣陣的痛苦。

接收到警示燈的通知，一名抽脂中心的專員即刻靠近迪克，不太禮貌地對迪克說道：「走吧，請到能量回收房裡面，為了你的健康，我們必須抽走你身上十公斤的體脂肪。」

「為了健康。」迪克嘀嘀咕咕地重複說了一遍，他心裡清楚得很，政府的用意不是他的健康，更不是為了擠在抽脂中心內的這些胖子們著想，而是想要拿走他們的脂肪，再製成綜合營養劑分發給北國的國民。說穿了，他們這些胖子其實和乳牛沒有分別，差別只在乳牛生產牛奶，而胖子生產脂肪。

在抽脂中心的專員陪同下，迪克進入能量回收房，綠油油的四面牆壁是輪播的自然風景，聽說那是二十世紀時候的虛擬實境，草原、流水和幾隻看似可口的飛鳥。

「很快就好。」專員半哄半騙地讓迪克上了能量回收檯，他一直覺得這張檯子像是切豬肉的砧板，不過更讓他不解的是，為什麼會有人把自己變成一頭肥豬呢？話說如果沒有了這群肥豬，國民的脂肪來源就會短缺，因此他導出了一個結論，肥豬也是愛國的。

想著這些無聊雜念的時候，專員已經將能量回收系統啟動，數根鋼針冷不防地扎入迪克的肚皮、手臂、大腿和屁股，只聽見迪克呻吟了一聲，五分鐘過後，能量回收機制便結束了。

「痛死了，下次能不能溫柔一點？」迪克抱怨了一聲，步下回收檯的同時，肚皮和手臂已經變得鬆垮下垂，看著這些晃動的厚皮，就可以估算出他為國家貢獻了多少脂肪，政府真該頒給他一個榮譽國民獎章。

「你可以回去了，記得半年後再回來複檢。」專員撕下通知單交給已經沒有利用價值的迪克，然後不怎麼客氣的把他推出能量回收室。

兩人剛跨出門檻，隨即和另一名胖子擦身而過，迪克同情的看著那人，依他的經驗，對方至少要被抽取二十公斤的體脂肪，過程肯定是場折磨，一想到有人比自己更加不幸，迪克就幸災樂禍地在心底竊笑。

拿著通知單，迪克前往了櫃台，雖然他迫不及待想要離開這個鬼地方，可是他也絕不會忘了自己的利益。櫃台人員檢查了迪克的通知單，隨後交給他一罐黃澄澄的液體，那是由人體脂肪分離再造的食用油，如同捐血之後可以得到營養餅乾，被抽過脂肪的胖子也可以獲得一罐補給品，拿到了該得的報酬，迪克總算甘願地走出抽脂中心。

他站上了傳送帶，在面板上輸入國家監控室的位置，然而傳送帶才剛啟動，迪克的微型電話便響起，他按下通話鍵說道：「我是迪克。」

「我是亞當。」監控室的亞當說道：「你離開抽脂中心了嗎？」

「是呀，還拿到一罐半公升的食用油。」迪克搖了搖手上的液體罐子，不禁想著這會是從誰的身上抽出來的脂肪，也許是自己的，也許是剛剛擦身而過的胖子所留下的歷史庫存品。當他想像自己在喝下食用油的瞬間，其實是間接伸出舌頭去舔一名陌生胖子的肚腩，那個畫面讓他忍不住打了一個冷顫。

「你先別回來，直接到農場去看看，食品署的長官正在那裡。」亞當說道。

迪克聞言，半是嘲諷地表示：「亞當，你再不運動，下一個收到抽脂通知的人就是你。」

「運動？喔，不，運動會消耗太多熱量，我就得吃下更多的食物，你要明白，這是一個物資缺乏的時代，最近政府正在倡導大家能不動就不動，你沒看電視嗎？」亞當不在意地笑了幾聲，又說：

「反正你已經在外頭了，就順便去一下農場吧。」

「知道了。」迪克草草結束通話，也許是剛被抽脂，因此他有種肚子空空的錯覺，又或者正如亞當所說，他剛才的運動量太多了，才會產生現在的飢餓感。

他更改了面板上的位置，腳下的金屬傳送帶略微晃動，轉了個方向前往國家農場。所幸公家機關的位置都相差不遠，他很快便來到農場外頭的鐵閘口，從外觀看來，這裡和國家監控室的模樣相似，除了鐵閘口旁的電子招牌寫著不同名稱之外，確實看不出有別的不同，或者是同個設計師的創意吧。

迪克輸入密碼，鐵閘隨即發出嘶的一聲並往兩邊拉開。農場裡頭滿是巨型培養皿，與其說這裡是農場，倒不如說是實驗室，培養皿中裝載著一隻隻的猛牛與猛豬，這個名稱是從二十三世紀才誕生，因為家畜經過改良之後，身形足足大了一倍以上，每隻豬都大得像牛，至於牛的體積更是膨脹成大象，為了區分這些改良過基因的家畜，因此會在牠們的稱呼前面加上猛字。光是看著牠們，迪克的口水已經不斷分泌出來，因為這些活在培養皿中的食物，終其一生都沒有運動過，或許也沒有清醒的機會，因此肉質異常地軟嫩可口。

「迪克，你來了。」食品署的副署長站在一架巨型培養皿前方，依著農夫的解說在培養皿上方注入了牧草營養劑，液體隨即透過人造臍帶輸入猛牛體內。

「再一個星期，這隻猛牛就可以成熟收割了。」農夫說道。

副署長滿意地點頭，隨即將目光轉移到迪克身上，他向迪克招了招手。

迪克靠了過去，不敢放肆地問好：「副署長，午安。」

「迪克，你是不是又胖了不少？」副署長上下打量了一遍迪克，眉頭不禁皺了起來，「這樣食物的攝取量，一天似乎要再增加三百公克。」

迪克身為公務人員，他聞言不由得一驚，國家最大的危機不是能量，而是糧食的短缺問題，雖然吃多長胖不算是瀆職，卻沒有顧慮到社會形象的問題，很有可能會被考評為劣等。思及至此，迪克馬上說道：「我比上個月瘦了五公斤。」

「嗯。」副署長沉吟了一聲，感嘆的說道：「記得我的曾爺爺說過，他的曾爺爺告訴他，能吃就是福。唉，沒想到我們這一代的人，太會吃卻是種罪過。」

「是，我錯了。」迪克唯唯諾諾地點頭。

「錯了不只要承認，還要改進！」副署長用力一拍迪克的肩膀，卻只摸到肩頭的一團軟肉，這觸感恰似猛牛般的肥美，讓副署長一時之間捨不得離手。

「是，我會改進。」迪克雙腿併攏，向副署長行了一個軍禮。

「光說沒用，這樣吧……」副署長想了一下，嚴肅地說道：「給你一個戴罪立功的機會。」

「機會？」迪克不解地看著副署長，一抹不好的預感油然而生，尤其是副署長的眼神，正透露出算計的光芒。

「就由你來擔任北國的食品署外交使，負責前往南國交換糧食的增產技術與心得。」副署長說到這裡，忍不住長嘆了一聲，接著才說道：「北國寒霜凍骨，南國炎熱炙人，加上溫室效應的發酵，兩國都難敵自然環境的侵襲，造成國家的食物總量越來越緊縮，氣象署預計兩年後就無法再供應給國民足夠飽食的數額，我們只好求助於南國，看他們是否會有比北國更好的解決之道。」

「可是……從來沒有人去過南國，這次就只有我去嗎？」迪克忍不住驚呼，南國像是只存在於地理課本上的名詞，兩國因為中間橫跨著一大片磁暴沙漠，要想穿越過去根本是件不可能的任務，因此早在兩百多年前就不再互相通聯。

「我們會派軍隊保護你。」副署長說完，從口袋裡掏出了兩個雞蛋交給迪克。

迪克看著紅色的蛋殼，這是最近新研發成功的皮鞋蛋，將皮鞋上的舊皮革透過能量回收系統，取出蛋白質成分之後再加工製成的雞蛋，為了和原生雞蛋區分，因此在蛋殼中加入了紅色素，「謝謝副署長。」

「嗯，這個送給你，它可以……」副署長頓了一頓，一會兒才說道：「幫助你減肥。」

2

背負著全國六千萬人口的期待，並且在副署長的欽點之下，迪克上路了。

一行總共十人，八名特種防衛軍人，一名醫師再加上外交使迪克，眾人穿上厚重的防護衣，戴上氧氣口罩搭上直升機。離開了隔菌保護的北國堡壘，立刻可以感受到外界的沙暴侵蝕。

迪克一邊握著杯耳，享受著杯中濃熱香甜的巧克力，一邊透過玻璃窗戶望向沙塵蓋天的外頭，深深體會到這是一份苦差。北國九成九以上的公務人員，終其一生都沒有離開過國境，而他卻得冒著受到不明病毒感染、直升機臨時故障還有遭受南國俘虜等風險，帶著作為外交禮物的一頭猛牛和一籃子皮鞋蛋前往南國，目的只是為了了解南國是否有解決糧荒的更好辦法。

肯定是找不到人出差，食品署的副署長才會挑上他。迪克一口氣喝完了熱巧克力，隨後打開一包洋芋片，他唯一的福利就是可以在旅程中盡情地吃喝，而每一口食物都可能會變成他的最後一餐。

直升機不斷地往前行進，時速四百五十公里，如此飛了六個小時，外頭的風景始終一成不變。

迪克開始感到無聊，然而唯一的娛樂只有微型電話上的貪吃蛇，他伸展了一下筋骨，起身揉了揉痠疼的屁股，順口向負責駕駛的軍人問道：「還有多久會到？」

「依據兩百年前的地圖指示，我們再兩個小時就可以降落。」軍人語氣平板地回應，或許是因為訓練有素，因此讓他的聲音不帶絲毫感情。

迪克無聊地又看向外頭，他們的飛行高度不算太高，因此可以望見遠方的茶褐色海洋，許久以前，聽說海洋是一片的碧藍，曾幾何時因為污染源的影響，導致它換上茶褐色的外衣。開始轉變的風景似乎是在呼應軍人的說法，他們就快要抵達南國了。

一個半小時過去，軍人透過麥克風說道：「請繫上安全帶，我們準備降落。」話才說完，引擎即刻傳出轟隆隆的震盪，直升機筆直地落下，在即將接觸到地面的剎那，軍人猛然一拉扶手，機體便在霎時變形成軍用坦克，滑行在滿是細碎石礫的戈壁沙漠上方。

「安全降落，預計一個小時之內可以抵達南國。」麥克風的廣播說道。

經過剛才的驚嚇，迪克的睡意全消，他眨了眨惺忪的眼皮，默默地倒數計時。

他們與南國的距離隨著車窗外不時閃過的仙人掌而逐漸拉近，一路的平順使得他們比預計的時間更早抵達，一座巍峨的擎天高塔驀然出現在地平線的底端，朝陽一般地緩緩升起。

「看到了！是南國。」軍人的聲音變得興奮。

迪克立刻起身靠近駕駛座，透過前方的擋風玻璃，他看見那散發出昂然氣勢的首都高塔。

車速漸漸緩下，軍人開啟了無線電，希望可以與南國的人員取得通訊，幾聲沙沙的雜音響起，令人既緊張又期待，「喂？喂？」

「前方的車輛請停下，請問你們是誰？」無線電的那頭很快就有了回應，沒想到兩百年前留下的頻道仍然可用，不禁讓眾人一陣欣喜。

迪克身為北國的外交使，他接過了無線電對講機說道：「你好，我是北國的外交使——迪克，這次代表北國前來，希望能與南國再次建立起中斷的通聯管道。」

無線電再次傳來沙沙的雜音，茫然如難以預知的未來……

3

北國的軍用坦克在南國六架重型裝甲車的圍繞之下，被請進了國境大門。面對如此盛大的歡迎儀式，迪克不由得冷汗浹背。

坦克緩緩駛入南國國境，眾人這時才看清楚，原來南國除了首都高塔之外，視線範圍內全是挑高建築的玻璃溫室，裡面種滿了各式植物，許多穿著衣服的無毛猴子正在忙碌地耕種，荒謬的畫面讓迪克產生錯覺，誤以為自己是來到了火星。

停妥了車子，迪克一行人依照電子廣播器傳出的指令走進南國的除菌室，隨後脫下厚重的裝備等候南國的招待。

除菌室的鋼板再度開啟，迎接迪克一行人的竟是一群無毛猴子。其中一隻猴子往前跨出一步，皺巴巴的嘴臉微動，友善地吐出了人話：「你好，我是北國的安管署長，歡迎你們。」

打量著眼前的猴子軍團，迪克不禁感到滑稽，沒想到經歷了兩百年的變遷，南國的國民會退化成原始人，變回了如今這副猴子的模樣。

「原始人？」南國的安管署長納悶地問道。

迪克心裡一慌，不確定自己是否在震驚中，就把心裡的戲謔說溜了嘴。他正想要解釋，安管署長卻又說話了。

「你們和兩百年前一樣，依然保持著原始人的模樣，幾乎沒有進化。」他一邊說，一邊將已經夠皺的眉頭鎖得更緊。

「進化？」迪克困惑地問道。

安管署長指著身後的猴子們，然後對迪克說：「對，我們都已經進化過了，透過基因改良系統，讓每個人的身型縮小，以減少對空間的需求，以及對食物的攝取量。」

迪克一聽見食物二字，馬上露出興奮的表情，那正是他此行的目的，「署長，我是外交使迪克，此次的拜訪除了要與南國重建通聯管道，更重要的是，希望能和你們互相交流關於解決糧荒的辦法。」

他將北國的處境大致敘述了一番，並把目的仔細的解釋清楚，一邊說話，他一邊讓軍人將坦克上的禮物搬下來，一頭裝在培養皿中的猛牛，以及一籃子的紅色皮鞋蛋。

安管署長的眼睛在看見猛牛的瞬間閃爍著光亮，然而那股悸動卻不像是遇見美食的口水直流，反而像是發現恐龍遺跡時的驚喜。正當迪克不解安管署長的反應，安管署長先一步開口：「這是牛嗎？」

「是的，這是猛牛。」迪克得意地點頭，這是北國經過十年的研究所獲得的成果。

「喔，和圖鑑上的不一樣。」安管署長說話的同時，忍不住靠上前去細看。

迪克聽出了弦外之意，他反射性地問道：「圖鑑……難不成南國沒有牛隻？」

「是的，我們不生產牛隻，一百年前就絕種了，因為牛隻的體型太龐大，會占據我們的生活空間，另外牠也無法靠著光合作用長大，所以會吃掉我們的糧食，最後國家議會作出決定，撲殺了南國境內的所有牛隻。」安管署長說道。

「喔，天呀，牠可是非常上等的肉品，依照您的說法，南國是素食主義？」迪克問道。

能夠靠著光合作用長大的食物，再加上國境內的大片溫室，唯一合理的解釋只有南國國民靠著植物為生，迪克想到這裡，再看他們的猴子模樣，心想也許南國國民的最愛就是香蕉。

「我們也吃肉和昆蟲，剛剛你們說……要討論糧荒問題，難不成北國是吃猛牛為生？」安管署長露出不可思議的表情。

迪克點了點頭，向安管署長表示：「我國設有食品署部門——食物品質控管署，負責所有關於食品的生產、製造與研究，其中有一個單位叫作監控室，我就是在監控室內探測及捕捉國境外生物，作為我國的營養劑材料來源。」

「營養劑是什麼？」安管署長不明白的問道，他的表情越發彆扭，彷彿北國是個奇特的地方。

迪克受不了這樣的目光，他心底才認為南國是個落後的國家，竟然連營養劑是什麼都不知道。他耐著性子說道：「那是因為糧食缺乏的緣故，我國為了國民的健康，特別研究出來的一種綜合補給品。類似於兩百年前的綜合維他命，只是現在除了維他命，我們也在裡面添加了更多的營養素。」

安管署長訝異的問道：「你們把醫療研究技術，全部運用在食物上面？」

「是的，如您所見的猛牛，也是透過技術改良，破壞牠們體內控制生長的基因，才能讓牠們長得和象一樣巨大。」迪克說話的同時，驕傲地仰起鼻子。

安管署長沉吟了一聲，忽然明白地說道：「我們國家有個健品署部門——國民健康品質控管署，負責國民的健康維護、控制與改良，其中一項工作就是調整人類體內控制生長的基因，讓人體縮小以節省活動空間，並控制胃容量讓所需的食物變少。我想健品署和你們的食品署，似乎有異曲同工之妙，只是我們的控管標的物是人體，而你們的標的物是食物。」

想通之後，安管署長興奮地擊掌。

迪克一點也笑不出來，他無法想像南國為什麼要把自己退化成猴子，卻拿此種技術來和北國的食品署相比。

「所有的國民都願意接受改良嗎？」迪克不由得好奇。

「兩百年前剛開始推行時有點難度，當時有使用強迫的手段，不過現在大家已經可以認同和接受，都會主動配合政府的策略。」安管署長沒聽出迪克的諷刺。

「喔，天呀，你們不在乎人權嗎？」迪克心想，他絕對不會容許政府把他變成這副醜八怪的模樣，更難以想像自己的孩子會變成無毛的猴子。

「人權？這是建立在不妨害他人的基礎上，才有談論人權的資格。」安管署長說。

「恕我不能同意，我們要當個胖子，難道這樣也危害了他人？為什麼要強迫國民都……」變成猴子。迪克忍住了心裡話，換了個詞彙婉轉的說道：「都縮小自己的體型。」

「一個胖子不至於危害國家，可是一百個、一千個，尤其是嘴饞胖子，那會把國家的資源吃垮，這豈能說是沒有妨害到他人？」安管署長露出惶恐的表情，似乎無法想像國境內滿是胖子的災難畫面。

迪克愣了一愣，感覺自己的人格受到污辱，頓時變得面紅耳赤，「我們並不擔心，因為我國擁有最先進的能量回收系統，我們可以從魚鱗中抽出膠原蛋白；從雞肋中取出鈣質；更能夠把皮鞋變成雞蛋。」

話一講完，一名提著皮鞋蛋的南國官員看向手中的籃子，臉色隨即沉下。

安管署長細想了一陣，再次露出笑容：「這也是食品署的工作嗎？確實很像我國的健品署，我們控制人體不發胖，減少活動時所需消耗的熱量；並讓身體不生長毛髮與指甲，減低對膠原蛋白和鈣質的需求；十年前，更改良了國民的腸胃，讓人體可以消化樹皮和草根。」

會談告一段落之後，安管署長便讓人送上南國的外交禮物，一包咖啡口味的箭竹，以及一麻袋的煙熏樹皮。

由於迪克的腸胃並沒有接受過南國的改良，因此面對這樣的禮物，讓他感到無言以對。

4

一場討論就在交換禮物下無疾而終，誰也無法理解對方的想法。

北國的使節團在南國待了一星期，參觀完健品署的設備與技術之後，帶著滿滿的禮物以及一隻無毛猴子返回北國——那隻猴子是南國的使者尼森，基於建立兩國的友誼邦交而被派往北國回訪，順道觀摩北國食品署的能量回收系統。

尼森剛上路便出現暈機現象，改良過的身體過於瘦弱，讓他無法負荷直升機上的高空壓力。

迪克沒有時間關心尼森，他頻頻清點著南國的禮物，不斷想著該怎麼向食品署的副署長交代，這些加工調味的樹皮和草根就是出訪的戰利品，至於解決糧荒之道——就是把自己變成猴子。

「啊，我的天。」他頭疼地靠著椅背，大把大把地往嘴裡塞進棉花糖。

十個小時之後，直升機返回了北國，那是一座半圓型的銀藍色堡壘，外頭完全看不見內部的活動，北國的一切全然被金屬製的鋼板所遮擋，透露出一股不容侵犯的王者氣勢。

尼森趴在玻璃窗戶上看了一眼，又嘩嘩吐了一地，他咳了一聲，隨即昏厥過去。

直升機降落在地面，變形成坦克駛進北國的國境，在經過消毒與身分確認等手續之後，國家監控室才放行讓一行人進入。

迪克將尼森連同南國所贈送的禮物，一塊安排在貴賓室內。他脫下了沉重的裝備，深吸了一口冰涼的空氣，終於有了回家的感動，但他還來不及休息，微型電話便響起。

「迪克，你回來了。」食品署的副署長說道，聲音裡有掩不住的欣喜。

「副署長，我回來了。」迪克說道，他瞄了一眼躺在床上的尼森，還有堆滿貴賓室角落的樹皮和草根，技巧性地說道：「還帶回了南國的使者與禮物。」

「太好了，在哪裡？」副署長又問。

「在……一級貴賓室。」迪克說。

「嗯，你辛苦了，先回家休息吧，有事明天再聊。」副署長又說了幾句象徵性的官話，這才掛斷與迪克的通訊。

任務結束，迪克不再理會尼森，反正有醫生會負責料理他的生活，因此迪克放心地返家休息。回到了家裡，迪克幾乎是一碰到床墊便睡死過去，幾天以來皆沒有好好地睡上一覺，瞬間釋放的疲憊使得他意識斷線。

當迪克再次睜開眼睛時，已經是次日的早上九點。

「喔，我的天，遲到了。」他一邊拉著褲子，一邊匆匆趕往監控室值班，在南國的七天竟讓他瘦了一圈，褲子變得鬆垮，彷彿一走動就會露出屁股溝，害得他必須抓緊褲頭，以怪異的姿勢行走。然而他趕得再急，仍然晚了食品署的副署長一步。

副署長早就站在監控室內，等著迪克的前來。他瞇著眼睛微笑，對著一臉慌張的迪克說道：「早安。累壞了吧？」

「早安，副署長。」迪克尷尬地笑著。

「我去過一級貴賓室了，也看見南國帶回的禮物，不過……我找不到南國的使者。」副署長正是來詢問迪克這件事，莫非是他聽錯了，誤以為迪克帶了南國的使者回來，還是使者昨晚接受了迪克的招待，所以沒睡在貴賓室裡頭？這個問題的答案，副署長決定直接來找迪克確認。

「沒有？」迪克一愣，心裡不由得竊笑，該不會副署長不相信那隻會說人話的無毛猴子就是使者，說不定兩人還在一級貴賓室內發生了爭吵，想到這裡，迪克好笑地反問副署長：「請問副署長，您在貴賓室看見了什麼？」

「看見了南國的禮物，包裝精美的樹皮和草根，還有一隻……已經拔完毛的猴子。」副署長想了一下，確定沒有遺漏之後說：「那些樹皮和草根，應該是猴子的飼料吧？南國真是貼心，還先把猴子拔完了毛才送來，我已經命令兩名中央廚房的人員，將猴子作成咖哩了。」

這下子，迪克再也笑不出來，副署長竟然把南國的使者作成了猴子咖哩！

他還沒有時間反應，亞當拿著咖哩飯轉過身子說道：「真是美味，比起我們培育出的猴子肉還要甘甜，迪克，你也快點過來吃吧，副署長特別帶了一份給我們。」

「畢竟迪克是功臣，作成了咖哩當然要給他試吃看看。」副署長笑著對亞當說，隨後又轉向迪克表示：「試試看吧。」

迪克的腦袋一片空白，思緒像是被雷打到一般陡然停滯，他沒有意識地拿起亞當遞過來的湯匙，舀了一口咖哩飯放進嘴巴，咬了兩口，一股甘甜的肉汁霎時在嘴中發散，帶給迪克前所未有的味覺震撼。

「真是……太好吃了！」迪克吶喊著。

「沒錯吧。」副署長點了點頭，隨即將話題拉回：「對了，迪克，這次前往南國有什麼收穫，你找到解決糧荒的辦法了嗎？」

迪克的思緒被拉回，他看了看盤裡的猴子肉，再看了看副署長一臉的期待，他總不能告訴副署長——你把南國使者作成了猴子咖哩。

幾番的折衝與口中回甘的肉汁美味在互相作用，一個邪惡的念頭自他的腦海浮現，迪克順應著心底的渴望說道：「找到了。」

「是什麼？」副署長開心的問道。

「我們應該發展畜牧業。」迪克敲了敲盤子的邊緣，挖起一塊猴子肉說：「南國已經被無毛猴子所占領，那裡還有七千萬隻——只要吃樹皮和草根就能活的猴子。」

那是多麼龐大與美味的猴子天堂，一定可以解決北國的糧荒問題。副署長、迪克與亞當的眼中，不約而同地發出炙熱的光芒。

得獎感言　**柚臻**

上一屆有幸得到佳作，看了倪匡老師的評語之後，深受鼓勵，於是這一屆再次奮發投稿，結果……還是佳作。此乃命也？天數也？或吾之實力僅得佳作乎？

我的作品二〇一〇年二月將在全家便利商店上市《鬼學姐》，四月將在7-11上市《屍虐》，此二本由明日工作室出版的口袋恐怖小說，還請各位看倌多多指教。

柚臻msn：shanxyz@msn.com　歡迎加入我的msn，以文會友。

評審講評　**陳克華**

假設未來一個糧食短缺的世界，兩個採取完全相反生存策略的族群相遇時，誰能在生物進化的競賽當中勝出？一個是巧取巧奪，竭澤而漁，無所不吃，個個大胖子的北國，另一個則相反地利用科技改良體質，縮小體型，減少對營養／能源的依賴，成為一個能源被保護的清潔南國。在一次互訪的過程，南國的來使卻被北國誤認為是「無毛猴子」而被煮成咖哩吃進肚裡。小說裡對「食慾」的處理角度十分新鮮，對北國放縱口慾的作法也明顯不屑，但整個小說情節與構想太過簡單二分，結果是「開源派」打敗「節流派」，這樣的結果了無新意，同時也浪費了前半部的鋪排，甚為可惜。同時若干不盡合理的描述——如兩國之間並無太大的天然或人為阻隔，為何多時不互往來等——能夠加以補強，這篇小說應該會更具可看性。

數學家的遺囑

名次：佳作

TG

「你都已經可以繼承到八千七百萬的遺產了，怎麼還想要更多？」嚴以寧向訪客問道。

「那不過是特留分罷了，八千萬怎麼和七億元相比？」鄭宇陽回答。「我的其他幾個兄弟姊妹，現在也正絞盡腦汁在解開這個謎題。拜託嚴哥，幫幫我這個大忙。再過兩天就是遺產的執行日了。」

三個星期之前，國際知名的學者、首都大學數學系的鄭教授在家中病逝，享年六十四歲。由於鄭教授曾提出多種特殊的演算法，能夠使用幾個簡單數據的「種子」，製造出幾乎不可能逆向推測的算則。他藉此演算法開發出多項國際專利，授權給各國的資訊公司作為數據傳遞的安全防護之用，鄭教授也因此成了一位富豪，成了數學界裡的傳奇大師。

不過，鄭教授的脾氣古怪，他與八名子女的相處不洽，其子女也紛紛離他而去。鄭夫人早已過世，因此生命中的最後十年，除了照顧他老年生活的管家之外，鄭教授的家居生活都是一個人獨自度過。

一般人當然不清楚鄭教授在學術上的成就，然而記者們卻能嗅出鄭教授的過世一事的戲劇成分。他所公開的遺囑中宣明，要將名下清算完畢的遺產，全數捐贈給國內三家慈善團體，完全不提及他子女中的任何一位。但根據《民法．繼承篇》的規定，他的八名子女依然保有遺產繼承的「特留分」；換算起來，每名子女還是能獲得八千七百五十萬元的遺產。但這件新聞經過媒體上的強力放送與分析報導，已在社會認知上轉成了一齣廉價的豪門恩怨肥皂劇：過世的老富翁，對他八名不孝子女的懲罰。鄭教授的八名兒女的名字，已成了眾人茶餘飯後的閒談笑柄。

嚴以寧是首都大學物理系的副教授。和別人相比，他對此事還多了一小段淵源。嚴以寧在大學求學期間，恰與鄭教授的七男——鄭宇陽——當過同班同學兼室友。當時，鄭宇陽擁有富家子弟的一切特徵，因此系上的男同學多不願與他接近。這位鄭家公子在課業表現上，顯然也稱不上是位優秀的學生，四年來的成績皆係「低空掠過」。嚴以寧的個性隨和，與所有人都能維持良好的關係。每當期中與期末考之前，只要這位室友有所要求，嚴以寧也願意將自己整理好的各科筆記，不求報償地借予他，讓鄭家闊少憑著臨陣磨槍的運氣，終於拿到學位。畢業之後，他們兩人分道揚鑣，彼此再也沒有聯絡。嚴以寧繼續留在學術圈裡，可望在明年升等，成為首都大學物理系的正教授。

這兩個許久不見的老同學，十一年後再度碰面。星期六下午接近七點鐘，鄭宇陽突然出現在物理館二樓的研究室。嚴以寧放下手邊的工作，熱情地招呼老同學，兩個人將就地坐在堆滿報表與論文的大桌子旁。但來客不耐於過多的寒暄問暖，立刻拿出一張寫著數字和字母的怪異紙條，遞給了嚴以寧。

「這件事，媒體記者都還完全不曉得，」鄭宇陽說道。「麻煩你能幫我保守祕密。」

嚴以寧滿臉疑惑地接過這張紙。「到底是怎麼回事？」

鄭宇陽嘆了一口氣。「想必你已經從新聞報導中，曉得這件事情的前半了。老爸過世之後，留下的遺囑裡竟然一毛錢都不留給我們，也不想想當年他是怎麼對待我們的。現在，他除了想要搞掉我們應得的遺產，還要破壞我們的名譽。」

物理系的副教授不發一語，靜靜聽著訪客的牢騷。

「不過事情的後半部，是律師以口頭方式向我們八個兄弟姊妹宣布的：老爸還留有另一封新的遺囑。這份未曾公開的新遺囑中，明白寫著它的效力高於已公布的舊遺囑。而且上頭注明，找到新遺囑的繼承人——也就是我們八名法定繼承人當中的任何一個人——可以獨得他的所有遺產，但這份新遺囑卻要我們自己努力去尋找出來。律師給了我們八人各一張內容完全相同的密碼。線索就寫在這份密碼上。」

嚴以寧露出了笑容。「挺有趣的。鄭教授為你們安排了一樁尋寶活動。」

「一點都不有趣！」鄭宇陽不滿地回應。「你知道嗎？我們八個人搜遍了老爸的整棟房子，連庭院花圃的土壤全部翻過一遍，就是沒有找到那封該死的遺囑。執行遺產的時間就在下周一了，如果不能及時找到新遺囑的話，那原本都該屬於我們的錢，不就這麼眼睜睜地看著它奉送給那群完全不相干的人了嗎？」

說到這裡，鄭家少爺氣得拿起桌上的茶杯，仰頭一口盡飲剛沖泡好的金萱，引得來客燙口而大呼小叫一番。喘過氣之後，鄭宇陽說道，「我那七個兄弟姊妹，現在也都要來搶這份遺產。你說，我能坐視不管嗎？」

嚴以寧嘴上不言，但心中卻暗暗思度：看來，你們幾個兄弟姊妹的想法全都一樣，要自己一人獨占那份遺產。

「拜託你了，嚴哥。只有你才是我真正的朋友，」出自於鄭宇陽口中的這句話，正是往日時光中，他央求商借筆記應考時的舊台詞。

「我所學的是物理，你應該去找數學家才對，」嚴以寧並不想蹚入這場豪門混水。

「我找過了，但完全不得要領，」鄭家公子彷彿下了決心，呼出一口氣。「如果你能幫我找到那份遺囑，嚴哥，我會分給你一億元當作酬勞。」

一億元？嚴以寧心頭不由得一震。這輩子，他還不曾在自己的帳戶上見過這麼大的數字。心裡交戰了一會兒之後，他決定拋開了讀書人一向輕視錢財的骨氣。嚴以寧回答他的老同學，「好吧，那我就試試看吧！」再怎麼說，研究人員也是人，他們也得維持自己的生活呀。

鄭家公子見到金錢攻勢再度奏效，露出了驕傲的微笑。「我猜得沒錯，嚴哥你一定會幫我這個忙的。」

嚴以寧不理會對方的傲氣，仔細地瞧著紙上的密碼。「我不敢說一定解得出來，畢竟鄭教授是密碼學方面的專家。如果他想運用一套高奧的運算式來刁難我們，相信全世界沒幾個人可以解得開來。」

這張巴掌大的紙上，以手寫字跡寫下五行數字與文字：

29 53 05

@ 02 01 18 09 11 09 18 10

@ 01 01 02 03 05 08 13 ?

STATARGENTUMPERFENESTRAMROSAE

（142857）

「相信你已問過好幾位專家了吧？」嚴以寧一邊看著，一邊問道。

「我已經問過幾位數學家和語言學家，」來客搔著頭回答。「希望嚴哥你不會介意。」

嚴以寧閉上眼睛思考。感到有些不耐的鄭宇陽，想要打破對方的冥思。

「那些數學家們認定第一行『29，53，05』代表了三個質數，也就是解開後面那一連串數字的『公開金鑰』。這是現代密碼學的慣用方式，我也相信老爸會刻意這樣安排，」鄭家少爺說道。「不過，後來他們嘗試使用這組鑰匙的各種構成型態，來為後頭的數碼加以運算，出現了各式各樣的結果。但卻沒有任何一種結果是有意義的。」

「不，這是鄭教授的誤導，」這位物理系副教授睜開雙眼，自信地回答。

對方露出不解的神情。

「我一天到晚都在與天文觀測的數字奮鬥，所以才有機會看透這一點。第一行的數字代表『29.5305』，這是月球歷經一次朔望的周期，也就是兩次月圓的間隔天數。因此第一行數字，所指的應該就是『月亮』。」

鄭宇陽聽了拍手大叫：「太棒了！所以這段密碼一開頭，就是叫我們要利用月亮。」他高興地說道，「我就曉得嚴哥你最有辦法。你以前就是我們班上的『智多星』！」

「別為我戴高帽，後面幾行我還無法肯定，」嚴以寧說道。

鄭家公子的頭腦也靈活起來了。「順著這條線，第二行的開頭的符號『@』，應該就是指月亮『位在』某個時間或位置囉？」

「應該是，」嚴以寧回答。「我不想自己從頭解起。那群數學家們怎麼解讀第二行的數字？」

「有好幾種解釋，」這位訪客從黑色公事袋裡拿出一份筆記。「既然第一行不是解碼的『金鑰』，那麼我們完全不用考慮這一大堆運算。」他手指飛快地翻著頁面。

「有了。一位數學家認為，這應該是取自於字母表的對應，『01」是字母『A』，『02』是字母『B』。照這種轉換，第二行我們可以改寫成『BARIKIRJ／巴瑞奇爾吉』，」鄭宇陽將這一頁筆記內容向嚴以寧展示。「嗯……從發音來看，或許我們該去查查印度神話？」

嚴以寧側頭一想，然後抄了一張白紙，伏在桌上寫了一大串文字。他翻了翻日曆，轉身敲著電腦鍵盤。客人安靜地坐在一旁，滿心期待有所突破。

過了一會兒，副教授面對老同學說道。「既然第一行代表月亮，所以我自然會想到第二行的數字也與天象有所關連。剛剛你提到了『BA』這個開頭的發音，我便聯想到希臘神話當中的『蜥蜴』。不過顯然地，從拉丁字母拼出來的『Ba-Ri-Kirj』沒有什麼意義。

「但拉丁字母前兩字母，恰好與希臘字母的開頭是完全相同的。如果我們改採希臘字母表，來配對第二行的那一串數字：『02』代表『beta』，『01』代表『alpha』，『18』代表『sigma』，『09』代表『iota』，『11』代表『lambda』……最後，我們可以把這串數字的對應希臘字母寫出，得出的字便是『BASILISK』。」

鄭宇陽聽著新的解讀法，頻頻地點頭。

嚴以寧接著說道。「『BASILISK』，是『Basiliscus』的字根，也就是拉丁語中的『Regulus』。轉換成我們一般的說法，是天空中的恆星『軒轅十四』。這是一顆位在獅子座中的一等亮星。」

鄭宇陽張大嘴巴。

「綜合密碼表的前兩行，我們可以解讀成『月亮位在軒轅十四位置的日子』。我剛剛查了一下，最近月亮會接近這個星空位置的時間，恰恰好正是今天——七月二十九日。」

「所以能夠找到這份新遺囑的時間，就是今天囉？」

「或許吧，」嚴以寧說道。「至於密碼的第三行相當簡單，我相信你先前詢問過的數學家，應該也會給出同樣的答案。『1，1，2，3，5，8，13』是『費波那契數列』——數列中的每個自然數，都是它前面兩個數字的和。所以這第三行的密碼最後的『問號』，便代表一個數字：『21』。」

「沒錯，他們告訴我這一行代表『21』，但無法具體地說明那有什麼意義，」鄭宇陽翻著筆記。「只要解讀出前兩行，這個數字就代表了『二十一點』，也就是『今天晚上九點』。」

副教授點點頭。「但我不是語言學家。我看不懂接下來的這句話是什麼意思。」

「這句話太簡單了，我知道，」鄭宇陽哼了一聲，翻閱手上的筆記本，彷彿這句話是由他自行解讀出來的一般神氣。「這是一句拉丁文：『Stat argentum per fenestram rosae』，直接翻譯過來的意思就是『財富存在於穿過玫瑰的窗子』。」

副教授問道，「那又代表什麼意思？」

「……我不清楚，」鄭宇陽像洩了氣的皮球。「我們找過老爸豪宅中每一扇窗戶，也見不到任何符合的東西。」

坐在椅子上的嚴以寧，雙手托住下巴，仔細地思考著。

「現在已經是晚上七點多了，拜託嚴哥想一想。照剛剛的解讀，我們剩下來的時間，可能不到兩個小時了，」鄭家少爺想到這一點，心中非常不安。

嚴以寧瞥了一眼筆記上的譯文，突然靈光一閃。他的心中想著：小鄭會剛好跑來找我，莫非是冥冥之中的天意？

「並非完全沒有頭緒。當我還是一個碩士班研究生時，曾到數學系修過鄭教授的『高等線性代數』。我們學校數學系館頂樓上的高台，有一面作為造型藝術的白牆，上頭嵌了好幾片各式幾何圖案的玻璃。當中的一片外型最為特別，即是同學們所稱的『玫瑰窗』。許多數學系的學生，都把『玫瑰窗』當作到那兒約會的代稱。除了數學系的教職員和學生之外，外人大概都不曉得這回事。」

「是了，就是它！」鄭宇陽拍著自己的大腿。「混帳老頭，竟然還套用了自己系館裡的典故，害我白白走了這麼多冤枉路。真是該死的傢伙！」

嚴以寧聽了這段話，心中不禁感到一股強烈的厭惡：一個人講話，有必要對過世的父親如此苛薄嗎？

「你想，最後一行有什麼特別的意思嗎？」鄭宇陽問道。

「嗯……我沒有比較確定的想法，」嚴以寧攤開雙手。「不過我覺得這行數字特別加上括號，寫成『（142857）』，或許代表它是附加於別的基礎之上。也就是說，到時候我們就知道。」

「所以呢？」

「今天是陰曆初四，月亮在晚上九點將會位於靠近西方地平面的天空。如果在這個時刻，把天空的月亮和那片『玫瑰窗』連結成一條線，讓這條直線的另一端朝地面延伸，將會落在數學系館東側的那片大草原上。我打算帶著望遠鏡、赤道儀、腳架和雷射，」嚴以寧解釋。「我猜，草原上所定位出的那個地點，應該就埋藏著你想要的寶藏吧。」

「數學系館在什麼地方？」

「從我們物理館這邊走過去，十分鐘之內應該可以走到。」

「太棒了，」鄭宇陽站起身來。「時間不多。我們現在就走。」

「好。那我到隔壁房間去，叫四五個研究生過來幫忙，」副教授也跟著起身。

「不，不，不，」鄭家大少連忙說道。「就你和我兩個人，別讓太多人看到。」

「但是，我得搬些工具過去呀！」

「你自己搬就可以了，」鄭宇陽的口氣變得相當粗魯——密碼已經解開了，對方原有的敬意似乎也跟著消失。「快點！時間不夠了。找不到遺囑，你的酬金也沒了。」

嚴以寧強忍下一口氣，氣悶悶地整理東西。數學系館可是六層樓的古老的建物，裡頭當然不可能會有電梯可搭。

現在是夏季的周末黃昏，太陽雖然已經下山，但晚霞仍然盤旋在西方天空，為這片大地投下最後一絲的眷戀。偌大的校園裡，出現兩個人的身影，在暮光中緩緩地朝向首都大學的數學系館前進。

嚴以寧出示了教師證，向系館一樓的警衛老伯說明，他們想要借用數學館的頂樓，來作今晚獅子座的天文觀測——這也確是事實。

填好申請單據後，警衛向副教授說明，由於周六的值班時間只到晚上九點，因此今晚系館沒有大夜班的值班人員。老伯遞了一張大門磁卡交給嚴以寧，好讓他們能在警衛下班之後，自由地進出數學系館。待在一旁的鄭宇陽想到，打擾他們的人又少了一個，不禁露出開心的笑容。「沒問題。我們保證作完觀測之後，會幫老伯您關好大門，一定不會造成貴系的困擾。」

嚴以寧雖然年紀不滿三十五歲，但他畢竟不是運動健將；更要緊的一點，是他身上扛著重達三公斤半的設備，還得靠著自己的雙腳爬到六樓。不過這位鄭家大少爺，卻一點也不想幫副教授分擔工作，逕自向上走去，還不時回頭抱怨對方的動作太慢。

當他們好不容易爬到了頂樓，嚴以寧卻已累得趴在地上氣喘吁吁，一時動彈不得。

鄭宇陽一邊調著呼吸，一邊看著手錶。「已經八點半了。快點做呀。」

這位副教授扶著欄杆勉強站了起來，現在的他，連生氣的力量也消失了。

鄭宇陽無奈，只能在這個狹小的頂樓上來回張望。這是個二十公尺見方的露天高台，正中央有一面比人略高的白牆。牆上鑲了幾片各種造型的毛玻璃，當中就有一片約莫人臉大小的玫瑰造型窗——這便是他們所要尋找的「玫瑰窗」。他朝前方望去，見到一道眉月正懸於西南方天空中，涼風迎面徐徐吹來。回頭一看，建築物的另一側是開闊的空間，下方則是寬廣的緩坡草原。他知道，他的目標就要到手了。

副教授終於恢復體力，開始架設起他所帶來的 D80/f6 折射式望遠鏡。月亮在星空觀測上的視角很大，要作為百公尺之外的定位，精密度絕對不夠。所以作法應該是要先將目標設定在「軒轅十四」這顆亮星上。

「八點四十七分，」鄭家少爺在旁提醒。

嚴以寧默默不語，熟練地把望遠鏡架設完成。當他打算擺置望遠鏡的位置時，發現這塊玫瑰造型的玻璃中央，竟有一個外徑十公分的圓形空腔。「難道鄭教授的意思，是要我們透過這個洞來定位嗎？」嚴以寧相信，這也是過世老人事先安排好的一個環節，可以讓人把誤差值大幅度地縮小。

「這麼一來，我就不需要使用赤道儀了。」他站在白牆與玫瑰窗的東側，調整好設備的高度，使望遠鏡的物鏡恰好嵌入玫瑰窗中的孔洞中。

嚴以寧耐心地調整角度，終於讓天空的獅子座落入目鏡的視野之中。「現在時間？」他大聲地向鄭宇陽問話。

「呃……噢。八點五十八分、三十秒。」

副教授頭也不抬，輕輕撫著望遠鏡的旋鈕，以手動的方式不斷地追尋移動中的星星。忙了一會兒，他終於抓到軒轅十四，並讓它處於目鏡的十字準星上。

「每隔十秒，向我報時一次！」在這個時刻，他們兩人自然地成了一對師父與徒弟。

鄭宇陽服從命令，開始報時。「五十九分、零秒。……五十九分、十秒。……五十九分、二十秒……」

「最後十秒，倒數讀秒！」副教授說道。

由於不使用赤道儀，他便以手動的方式，跟隨著不斷移動的星空，並使軒轅十四這顆亮星保持在目鏡的十字準星之中。月亮進入了他的視野，逐漸與軒轅十四會合。而她在夜空中無與倫比的明亮，炫得嚴以寧眼前一片昏花。

「……五、四、三、二、一。時間到！」

嚴以寧雙手離開望遠鏡，整個身子向後退了兩步，鬆了一大口氣。他們辦到了！

現在，這支望遠鏡投向草原上的位置，就是鄭教授生前所設計好的地點。他閉上眼睛，好讓視網膜上因月光照耀所造成的「後像」慢慢消失。隨後，他在望遠鏡的鏡筒上輕輕地套上固定環，將定位雷射夾在目鏡這一端，讓雷射光束射向下方草原中的某個定點。大致估量了一下，光點所投射到的位置，距離他們應該有三百公尺之遠。

「我看不到雷射的位置，」鄭宇陽伸長脖子向下望去。那裡，應該就埋著父親所留下來的新遺囑。

「這種功率的半導體雷射，只能達到這種程度；除非走到光束投射點附近的位置，否則我們不太可能從頂樓這兒，見到地上的那顆小小雷射光點，」副教授伸伸懶腰。

「這樣子啊……」鄭宇陽饒富興味地向下望。

「所以接下來，我們要分成兩路，彼此藉著手機聯絡。一個人下樓到草原上尋找光點和挖掘，另一個人則留在這裡，依據望遠鏡的指向，監督與指揮對方找到位置。你想怎麼安排？」嚴以寧心裡想著，以鄭宇陽的公子性格，應該會留在這兒指揮。所以挖掘泥土這種體力勞動，無疑地是他的任務。

「我過去。你留在這兒，」出乎意料地，鄭宇陽拎著從花圃帶來的小鏟子，毅然地下樓走到草原上。

樓下的警衛早已下班。放眼環顧，校園內的這片區域，就只剩他們兩人。帶著手電筒，鄭宇陽在黑暗的草原上前進。經過嚴以寧的指揮，他終於發現藍色的雷射光點。鄭宇陽立刻跪下來，向地上挖掘。

嚴以寧感到一陣滿足。隨後，他也下樓走出數學系館，瞧瞧這份「寶藏」的面貌。當他走到同伴身邊時，透過手電筒的照耀，發現鄭宇陽腳邊的坑洞裡，有個已經開啟的木盒。鄭宇陽一手拎著手電筒，一手拿著從盒內取出的文件。

「我找到了，我找到了！這是死老頭的新遺囑！」鄭宇陽高興的大喊。「『以下，是本人在律師見證之下，出於自由意志所立之遺囑，其效力超越前一份於×××年×月×日所宣示之遺囑內容。除了作為本遺囑的公證人與法律相關人員之外，得到此份遺囑者，無論其人是否為本人的法定繼承人，在本人身故並清算遺產之後，得繼承本人的全數遺產……』」

「所以說，任何人都可以獲得這份遺產，不限於你們兄弟姊妹八人？」嚴以寧皺起眉頭。「這麼說來，如果由我一個人找到這份新遺囑，那麼我也擁有獲得那七億的遺產的資格囉？」

「你別這樣說。要不是我，你怎麼能夠見到那份密碼？」鄭宇陽沉醉在勝利的歡愉之中。

嚴以寧心中出現某種受到欺瞞之感。這時候，他也想通了另一件事：以他的財力和地位，絕對可以向國內外的聰明之士公開懸賞，破解這份並不十分困難的密碼。但他的老同學行事卻處處低調，為的只是確保由自己一人獨享遺產。可以確信其他的七位兄弟姊妹，也有同樣的想法。在因緣際會之下，只有跑來找他的鄭宇陽恰好達成目的。

「別一副不高興的模樣，」鄭宇陽說道。「你幫了我大忙，我不會忘了你的五十萬元酬勞。跟我一起分享這份喜悅吧！」

「五十萬？」這位物理系的副教授不可置信地重述著。就在幾個小時之前，對方所開出的酬庸是「一億元」，為何事成之後便立刻嚴重縮水？

嚴以寧正要發作，卻發覺先前的約定是口說無憑的，再爭下去，只是讓自己的格調和對方一樣低下。他的「書生氣」讓他決定一毛錢都不拿，轉身逃離這銅臭味十足的場所。

「什麼！死老頭還附有條件？」鄭宇陽大喊。嚴以寧的好奇心，驅使他停下腳步觀望片刻。

「『……唯本遺囑共有一式七份，每份在末尾皆有一串十三位的明碼。擁有本遺囑者，必須在七月二十九日晚間十點整之前，連同其他六組明碼，回報予以下所指定之公證人。在七組明碼核對無誤之後，才得獲取本人遺產之全部繼承資格。若有不限一人回報這七組明碼，遺產則由此多位新遺囑明碼擁有者均分。未在上述期限內完成回報，本人即宣布此一遺囑作廢，概以前一封公開之遺囑為準。玫瑰窗與首次定位點，恰為正八邊形之對角……』」鄭宇陽以顫抖的語調讀出這段話。

「我知道原密碼的最後一行的意義了！」嚴以寧聽了之後恍然大悟。「142857代表的是循環小數，即0.142857……，也就是『七分之一』之意。所以鄭教授密碼表的最後一行，代表那只是新遺囑的七分之一，我們還得找出另外六份才行。」

鄭宇陽緊張地看了時間，「九點三十一分。我們剩下的時間不多了。快！我們回到玫瑰窗去，快點把另外六份遺囑挖出來！」

嚴以寧攤開雙臂，搖搖頭。「沒有用的。如果以剛剛的方式來定位，我們找一份遺囑至少得耗個五分鐘以上，來不及了。」

鄭宇陽氣急攻心，用力抓住嚴以寧的衣領，粗暴地吼道，「我命令你，快一點！難道你不曉得七億元就要到手了嗎？」

嚴以寧甩開他的手，一股火氣也湧了出來。「你說的這是什麼話？你所謂的七億遺產，我一毛錢都不要！」

鄭家少爺怔了一下，立刻換了一張臉。「是我不好，嚴哥，我對不起您。我求求您，拜託您，麻煩您再想想辦法。成功之後，我願意給您……兩億元的酬謝金……不，是三億元。」

聽到老同學的話，讓嚴以寧的憤怒消失，取而代之的反倒是一股同情的哀傷。「如果，我們在出發之前，你讓我找來三四個年輕力壯的研究生，這樣我們還可能讓工作同步進行，及時挖出其他的六份遺囑，」他嘆了一口氣，看到時間只剩下二十六分鐘了。「現在，連系館警衛都已經下班。在這暑假的周末夜晚，校園內幾乎不會有閒晃的人。就算我跑回研究室找人來幫忙，光來回的時間就消磨光了。」

副教授嘆了一口氣，接著說道。「現在的條件是，我們只有兩個人。其他的六份遺囑，各個相距一百多公尺。在這漆黑的草原上，以我們現有的設備，必須一個人留在系館頂樓量測與定位，所以僅僅剩下另一個人來挖掘埋藏在草原下的六個木盒。你跑得再快、挖得再快，也絕對不可能在這半小時之內完成這份工作。」

鄭宇陽的眼神泛著空洞。「明明就在眼前了，為什麼……」

「放棄吧，小鄭，」副教授無力地苦笑。「至少，身為鄭教授兒子的你，還有八千萬元的遺產保障。而我，什麼都沒有。」

在西沉月光的照射下，面無表情的鄭宇陽，向前走了幾步。

突如其來地，他爆出一聲叫喊。「你不幫我，我自己來！是這邊嗎？」他奔向前方，跪下來朝著地上猛挖。「沒有！嗚喔喔！」

他又跑向另一邊。「八角形的另一個角在這裡嗎？」於是他又跪下來猛挖。

嚴以寧留下他一人，逕自回到數學系館頂樓收拾儀器，並不時聽到鄭家少爺的吼聲。他在高台上往下望去，見到這片大草原上，有個黑暗的身影不斷地到處亂竄。

此刻的他猛然領悟：這一切，都是一場預先安排好的遊戲。若按解讀出來的指示，找出第一份遺囑的時刻，離期限不到一個小時。而這七份遺囑所埋藏的地點，加上高台上的指揮與定位中心，構成了一個邊長各為一百公尺的八角形。如果鄭教授的八個兒女，能夠同時來到現場合作，八個人恰好能夠及時地完成任務，共同均分父親的完整遺產。

時間已經是晚上十點了。嚴以寧體會出老人的遺願。「鄭教授，您生前為兒女所留下的最後一項人性測驗，看來他們並沒有能夠通過。」

得獎感言　TG

若按著嚴格狹隘的類型來區分，這篇小說比較傾於「推理」，而不像一般定義之下的「科幻」。現代人隨時可以獲得來自聲光媒體的影音刺激，也影響到一般人對於Science-Fiction文字模式的閱讀習性；這是我們時代的特性。想向大眾推廣科學小說／科幻小說，或許可以離開「機關布景派」的巧思框架，內容保留科學工程上的設計，改以其他通俗的其他類型故事來作包裝。感謝交大科幻中心給予本篇小說的肯定。

評審講評　陳穎青

本篇在決選諸篇中敘事技巧算是相當成熟的，唯一的麻煩是：這篇到底算不算科幻？

它有「科學背景和情節」，但科幻，則顯得不足。這裡可能沒辦法為「什麼是科幻」下定義，但通常一個典型的科幻總會有一個跟當下現實不一致的「科幻點」，那也許是科技上的不同，或者時空背景的差異，或者兩者兼具；科幻作者藉由這個不一致而得以借題發揮，讓我們熟悉的事物在不一致的世界有不一致的演變。

本篇因為少了這個不一致，使得故事變成比較像推理，而不像是科幻。評審委員因此無法給予高分。不然這算是一篇緊湊而可看的故事。

Presque Vu

夜透紫

名次：佳作

步凱不情不願地睜開了眼睛，在床上撐起半身伸了個懶腰。

在醒來的一刻他就感到後悔了，昨晚忘了先關掉鬧鐘，枕頭預設在早上七點正就會把他弄醒。今天是假期，他好應該再睡一會兒。

步凱關掉鬧鐘，回頭一看，枕邊人猶在夢鄉。

這麼美的女人上哪裡找？他實在不由得定睛細看妻子的睡姿。

步凱的妻子叫徐茵菀，暱稱小菀。到現在步凱還記得結婚那天他有多麼快樂，當他牽著這個他最愛的女人步入新婚的睡房，是他這輩子最激動的時刻。然後幸福的婚姻開始了，一轉眼，十年這麼快便過去。

二十八歲結婚，他們算早婚。歲月從沒在妻子身上留下足跡，漂亮的臉蛋找不到一絲皺紋，身材仍然健美。這當然多虧了日新月異的美容科技，每當看到妻子仍然保持著猶如第一天認識似的模樣，多麼辛苦工作賺錢也值得。

「怎麼不再睡一下？」

小菀醒來了，她揉著眼睛坐起身，絲質睡袍幾乎從她細小的肩膀滑落。

「我有點肚餓。」步凱撫了一下肚皮。

「誰叫你昨晚那麼拚命呢。」小菀對著步凱嬌羞地笑，「像個小孩似的，我現在去做早餐。」

她隨意地披上外套走出睡房。

如果能夠買一個機械人，小菀就不用自己做家務了，可惜現在步凱還買不起。其實月供並不很貴，但每年的保養費卻比養一部車子更要命。他和妻子買了車而放棄了機械人。

步凱其實在偷偷儲錢希望兩年後買一部機械人給小菀做生日禮物。萬一有了小孩，照顧起來也不用那麼辛苦。但買了機械人，就不能吃到小菀親手做的飯菜了。

「現在我就是你私人廚師，還不滿足？」小菀笑說。

「簡直感激不盡，我是幾生修到的福氣啊。」

難得一天的假期，他們決定去逛街。平常步凱的工作很忙，他在一家廣告公司的業務推廣部工作，收入很好。可是他有大半的收入都必須左手來右手去的貢獻給醫生——大約五年前，醫生告訴他患了一種罕見的病，平常對身體毫無影響，但必須每年都注射一次特殊藥物，否則他就會突然暴斃。

自從知道這個惡耗，步凱就得每年都儲起一大筆錢去買那種藥。

明明是自己辛苦賺來的錢，卻白白拿去換十幾CC的液體。要不是有這個病，以他的工作能力，他可以給小菀更美好的生活。住在更舒適的房子，購買機械人……

小菀常常開導他，說有藥總比沒藥治病好，現在的生活也很好了啊。也許小菀沒說錯，步凱有時也會想，能夠娶到這麼好的老婆，又能在自己喜歡的工作上一展所長，已經很幸福了。也許就是為了讓他曉得知足，上天才讓他有個這麼奇怪的病吧。

小菀在三年前開始兼職教琴，收入都是供養她的父母，步凱也不好意思過問。她真是位賢淑又體貼丈夫的妻子，從不用步凱多掛心。

在購物商場逛了半天，他們打算駕車去吃飯。車子有輔助駕駛系統，就算他跟妻子打情罵俏也不會有危險。他看著窗外的風景，目光再次不由自主地被某棟建築物吸引。

那棟大廈。

「你要到哪裡去？」發覺丈夫改變了行駛方向的小菀，疑惑地往窗外打量。

「沒什麼特別……」

步凱的車子向著那棟大廈駛去，可是沒多久前方就出現了路障。

車子自動停駛，輔助系統發出了這樣的聲音：『道路工程進行中，此路不通。』

「又是這樣！」步凱忍不住用力踢了車子一腳。

「怎、怎麼了？」小菀被丈夫的反應嚇到。

「很奇怪，真的很奇怪。」步凱苦笑，「不知道為什麼，我總沒辦法接近那棟大廈。」

「你有事要去那裡？」

「不……怎麼說呢？我只是好奇為什麼我總是去不到。」

只是一棟平平無奇的商業大廈，步凱上網調查才知道它叫「R大樓」。

半年前，步凱偶然來到附近工作，他注意到這棟大廈的外牆有廣告欄位，但就是找不到聯絡方法。想租用他們的廣告屏應該跟哪家公司或管理處聯絡？他找遍了電腦網絡，還有行內的資料都沒有。問了大廈外牆正在賣廣告的公司，竟然連他們都不清楚為什麼R大樓會打出他們的廣告。然後當步凱想親身去問的時候，就發覺他總是去不到。

修路、爆水管、在路上突然遇到朋友、公司老闆突然急召回去、被流浪狗追、十年不遇的大塞車、外國使節來訪封路、突然連場暴雨……不管走路還是駕車都去不到。好吧，改用公共交通工具，R大樓旁邊就有傳送站出口。他難得搭一次，就遇上系統大故障，到現在他還覺得那災難性的一天搞不好原因就是他。

總之，好像有雙無形的手阻止他接近這棟R大樓似的。

雖然公司最終也沒有興趣要R大樓的廣告欄位，但自此他遠遠看到這棟大廈就會有種不服氣的感覺。

步凱終於把這件事向小菀說了，小菀笑得花枝亂顫。他就是知道會這樣才一直不說！

「這就是所謂的Presque vu吧。」小菀強忍住笑。

「我不知道你還會法文。」

「『失諸交臂』，中文大概是這個意思。不知為什麼有些電影老是沒法看到，不知為什麼有些朋友口中的人總是沒法碰面，總是幾乎會發生但結果總會剛好錯過。跟Déjà vu（既視感）一樣，很多人都會有這種莫名其妙的經驗哦。」

「你也有嗎？」

「一下子記不起來，總會有一兩件事吧。」

「我就不信什麼Presque vu。」步凱再發動車子，繞道前往R大樓。

才走了不久，前方竟然大塞車。

「看！我就偏不信邪！」步凱向妻子揚了揚眉，激起了好勝心，他再次掉頭改道。

「你怎麼了，步凱。」小菀擔心地說：「我們回家好嗎？」

「不行，今天我一定要去到那棟大樓。」

「你為什麼這麼執著？」小菀擠到他身邊，想要輸入自動駕駛回家，「你別這樣孩子氣好不好？」

「但我真的很好奇，今天非要弄清楚不可！我一定要去——」

「我真的不知道你在想什麼！」

小菀終於扳開了步凱的手，按下了回家的指令。步凱瞪了小菀一眼，卻發覺妻子雙眼通紅，她顫抖著說：「你嚇到我了……你到底想幹嘛！這城市那麼多大廈你也沒去過，幹嘛要對一棟大廈鬧脾氣？」

步凱不禁後悔：「對不起，我只是……一時被激起了好勝心。」

說實話他真的沒理由非要去那裡不可。

「我們回家吧。」他握了一下妻子的手，柔聲地說。回想起來自己莫名其妙的舉動又怎可能不嚇怕她呢？自己今天是怎樣了？

他把車子調頭，偷偷在倒後鏡望了R大樓一眼。竟然跟一棟大廈鬥氣，真是瘋了。

※　※　※

深夜，步凱突然醒來，發覺小菀不在床上。

他隱約聽到房間外有聲音，便躡手躡足下床。該不會是早上孩子氣的行為令妻子生氣得失眠吧？他小心地打開房門往外看，發覺妻子正在跟別人通電話。

縮小的立體影像是個穿西裝的男人。小菀竟然在半夜穿著睡衣的時候還跟人通視像電話！

「我怕他早晚會發現。」小菀一臉擔心地說。

『也許我們見面詳談一下比較好。』

「好的，那我明天下午過來。」

一看到妻子要掛線了，步凱便急忙偷偷溜回床上裝睡。小菀非常小心地鑽進被窩，不知道步凱老早就醒了，而且還十分惱怒。

他不相信，但是想來想去都沒有比「那個」更合理的原因了。怎麼可能呢！他的小菀怎麼可能會……

幾乎整晚未眠，步凱努力裝作不知情，妻子卻在吃早餐時試探地問他今天幾點下班回家。

步凱假裝上班，實質在家門外守候。一看見妻子出門，便偷偷跟蹤。

懷疑妻子不忠令他覺得很難受，但他又無法壓抑自己不去想。倒不如儘快澄清只是一場誤會，他甚至懷疑會不會是妻子驗出了什麼疾病不想告訴自己，偷偷約見醫生？步凱越想越有可能，心情七上八落。

他跟著妻子步入了傳送站，站內擁擠的人潮正好作掩護。當他偷看到妻子進入的傳送點目的地，不禁倒抽了一口氣。

R大樓！

怎可能這麼巧合？

他想也不想就要衝進去，卻突然被身邊的一個女人用力抓住手腕。

「色狼！竟敢摸老娘的屁股？」那女人凶巴巴的大叫，附近的人立即圍起來看戲，步凱還來不及解釋，警察已經出現了。

不管他怎麼解釋是誤會，結果還是給警察帶到警署落口供。擾攘了半天，終於從攝影機中找到真正的犯人還他一個清白——步凱心情惡劣，不斷放話說要向公共關係科投訴。到他終於可以離開警察局，天色已晚了。

他只好假裝下班回家，小菀已經做好晚飯等他。

步凱一臉垂頭喪氣，妻子問他怎麼了，他只好推說工作不順利。小菀對他比往日更體貼，步凱心底裡有個聲音不斷回響：她是因為心虛才會加倍殷勤！

平日不管工作多麼辛苦，小菀溫柔的笑容總能令疲累一掃而空，但今天看在步凱眼中是多麼的討厭、虛偽。

這天晚上，他假裝入睡，一直留神小菀會不會再在半夜起來。果然，小菀等他看似熟睡後，便偷偷溜出睡房去打電話。

『你丈夫今天下午又想硬闖過來了。』

聽到西裝男人這句話，小菀嚇得臉色刷白。

「他、他果然對我說謊了……怪不得他今晚的心情這麼差！」

她彷彿大受打擊，頹然地跌坐在沙發上。步凱偷聽著，百般滋味湧上心頭，現在到底是誰先騙誰啊！

『放心，要來到這大樓可不容易。你想辦法分散他注意力吧，也許他會放棄。』

「他不是那麼容易放棄的人！請問還要等多久？我真的很擔心會被他先發現，請快點！他已經懷疑我了，不是嗎？」

小菀神經質地往房門瞧了一眼，然後還不放心地走過去悄悄打開門，看見步凱還在被窩中熟睡，她才安心地回去繼續對話。

步凱鬆一口氣，要是剛才他動作慢半秒就要穿幫了。但話說回來，他為什麼要這麼辛苦去躲？明明背著他做了什麼不敢見人的勾當是小菀！他大可以光明正大跳出去質問，質問她那個男人是誰？她跟那男人是什麼關係！

但是他躲，他不敢當面揭穿，因為步凱還奢望一切是誤會。就算是真的，他還是想留一步，也許她有什麼苦衷，也許她只是一時被壞男人騙了，也許她會回心轉意……

因為他真的很愛小菀。

想到這裡，步凱突然感到很悲哀，眼眶濕了。

他們之間到底出了什麼問題？他到底哪裡令妻子不滿？

沒多久，小菀便小心地爬回被窩。兩人背對著背，其實誰也沒入睡。

※　　※　　※

翌日，步凱親眼證實小菀走入R大樓。

他想，去不到，遠看總可以吧？便買了一副最新的望遠眼鏡，走到R大樓四、五條街以外的另一棟大廈，從天台遠遠監視。這副眼鏡的性能很好，穿著白色洋裙的妻子的身影十分清楚。

難道R大樓是專供人偷情的地方？難道R大樓的服務還包括不惜一切阻止另一半到來捉姦在床嗎？步凱胡思亂想，竟覺得這個荒謬的想法也許是真的。

否則，怎麼解釋他總是被擋著去不到？

沒錯，如果小菀在他身上植入了追蹤器，只要察覺到他接近R大樓就派人攔截。製造路障、收買公司的上司、找人誣陷他非禮……這一切都說得通啊！

什麼Presque vu！根本就是轉移視線的藉口！

他不禁下意識地摸了摸身體，雖然明知道不找醫生作詳細檢查根本找不出來。這是侵犯私隱的違法行為！但步凱更惱怒的是小菀竟然對他做出這種事，他對小菀完全信任，別說晶片，就是毒藥他也會毫無戒心地喝下去啊。

為什麼……

步凱生氣得發抖，他決定了，現在就要去R大樓，無論如何都要去到！他一定要親口向小菀問清楚！到底為什麼要背叛他？

步凱展開地圖——他擔心連隨身電腦下載的地圖都可能被做手腳，於是找來硬本。他擬定了各種路線後便立即動身。

他駕車從最主要的道路前往R大樓。既然是主要通道，萬一無法通行便會造成嚴重交通影響，對方總不會這麼胡作非為吧！

一路上都很正常，他甚至覺得沒理由這麼順利。R大樓就在眼前，還有兩三個街口就——

令人難以想像的事發生了。

步凱看著前方的一輛車子，忽然向左擺靠近旁邊的貨車，下一秒便實實在在地撞了上去。兩輛車水平地旋了幾個圈才終於停下來。

步凱和尾隨的車全部都在輔助系統下自動滑行到安全位置剎停，並沒有發生連環相撞的大慘劇。但每個司機和乘客都看傻了眼，自從人工智能的輔助系統面世後，交通意外十分罕見。

然而步凱的震驚更不在話下，對方總不成連交通意外都能製造吧！這到底是意外？還是有人安排？

有人敲車窗，步凱回過神來，警察和救護車已經到了。一名交通警察正要求他提供資料和錄口供。

「我什麼都沒看見！」又想把他拉上警察局拖延時間？

「你就在他們後面，怎會沒看見？」警察不悅地說。

「我開了自動駕駛功能，睡著了。」步凱咬牙切齒地說。

「真的嗎？麻煩你把行車紀錄傳送過來。」

「可以遲些再補上嗎？我很趕時間！」

「先生，這可是交通意外。請你合作。」

「你自己查到夠吧！」步凱賭氣地想要拋下車子步行離開，可是一隻腳才剛踏出車門，附近突然爆起一陣尖叫，前方的貨車竟從裂縫冒出了一堆烏雲。

「蜜蜂！」有人這樣大叫，步凱立即縮回去關上車門。貨車裡的蜜蜂瞬間遮蓋了天空，四處都是驚叫聲。警察立即啟動了防暴盔甲，急忙協助人和車疏散。

步凱看著擋風玻璃前有數百點黑影在急速飛動，後方的車還擠在一起，很難在短時間內退去。步凱乾脆關了車子的輔助系統改用全人手駕駛，趁亂發動車子往前衝，穿過交通意外現場繼續往前！

『SF2009！SF2009！請立即停車，你擅自——』

步凱連車內廣播都關了。

視野被蜜蜂擋住幾乎看不清路面，冒著隨時發生真正車禍的危險，步凱終於成功把交通意外現場拋在後面，而R大樓就在前面！

不過，他甩不開兩輛緊追上來的機械交通巡警。

還差一點，R大樓就在前面了！今天一定要去到，他豁出去了——

擋風玻璃前有一個黑影畫出完美的拋物線。

步凱遲了兩三秒才懂得反應急忙剎車，他的腦袋空白了。

眼睛瞥向倒後鏡，地上有一個渾身是血的男人，他才終於意識到，他撞到人！

那人一動不動，流出了大灘鮮血。想也知道，被車這麼一撞，就算是機械人也多半救不回來。

巡警的警號由遠而近。

步凱，反倒發出了詭異的乾笑聲。

這不可能是真的，他怎可能會撞死人呢？

沒錯，是假的，一定也是假扮的。對了，為了阻止他到達R大樓，那些人找人偽裝成被他撞倒啊！

沒錯，誰會看到車子飛馳還走出馬路？一定是預先設定好的陷阱！對了，那一定是假人！

「SF2009！前面的司機！立即舉高雙手下車，否則——」

步凱哪裡能把警察的聲音聽得進去，他踏下油門，拚命往前衝。

這下子，附近的交通巡警都來追截他。步凱很快便發覺自己被前後包圍，他被迫上了一條行車天橋，而明明R大樓就在旁邊了！要是能越過包圍再多轉一個彎就到正門……

等一下，步凱想到了一個根本不用突圍的方法。

他把車子扭了個直角，車子飛出了行車天橋，在空中飛墜，撞穿了玻璃外牆，直插入R大樓的五樓。

※　※　※

步凱眼前一黑，再睜開眼睛時卻全身疼痛。他被夾在一堆防撞果凍裡，雖然沒有外傷，也許還是有內傷吧？他勉強從變了形的車廂中爬出來，雖然身上很痛，但走了幾步應該沒大礙。

仔細一看，這一層完全是空的。

灰白的地和水泥柱，這一層什麼都沒有。萬一這裡有人的話，剛才車子撞進來一定會傷到人。而馬路上那人……不！那一定不是真的！

步凱像要證明自己的想法一樣，急忙尋找電梯，只要找到小菀，只要找到那個西裝男人，就能證實一切……

他終於找到了電梯，在樓層的控制板上，只有頂層第三十三樓用不同的顏色。他沒有猶疑就按了下去。

電梯往上爬升，那短短幾十秒的時間，無數想法在步凱的腦中飛過，他覺得自己快要瘋了。

電梯門一打開，竟是他最熟悉不過的人。

「步凱，」穿著白色洋裙的小菀，正勉強擠出微笑，「你怎麼也剛好來了這裡？」

「剛好？我──」步凱氣上心頭，恨不得一把打在她臉上。

「我正好要走了，我們一起回家好嗎？」小菀苦笑著哀求，步凱發覺她在顫抖。

頓時步凱的怒氣都溜走了，沒辦法，他真的沒辦法對妻子發火。但他一定要向那個姦夫問個明白，於是他越過了小菀，往裡面走去。

這一層跟下面不同，是個裝修得很氣派的辦公室，一點也不像時鐘酒店。視像電話中的那個西裝男人，從辦公桌後站了起來，對步凱微微鞠躬。

他長得平平無奇，說白了就是一副轉身後馬上會忘記的大眾臉，年紀介於三十至四十之間。

「范先生，你終於還是來了。」他一點也不吃驚，彷彿早有預備似的。

這個姦夫真夠厚顏無恥！

「敝姓鐘，是飛鳥企業的顧客服務部員工。」

「啊哈，我倒想知道你們對顧客有什麼『服務』！」這個男公關甚至一點都不英俊，到底哪裡吸引到小菀了？

「范太，你也別再哭了，事到如今也只能再來一次。」

小菀默默啜泣著，在一張沙發上坐下來。

「什麼再來一次？剛才害我不成，想現在殺了我嗎！」步凱踏前一步，鐘先生卻沒有任何膽怯的反應。

「請你放鬆，冷靜下來。請坐吧，你是我所負責的客人，我一定會好好向你解釋，既然你都到這裡來了。」

「什麼意思？」步凱一愣，他說自己是他的客人，什麼意思？他根本從來沒有見過這個人！

「你見過我很多次。」對方像早就知道他在想什麼，臉上掛著營業用的微笑，「只是你忘記了。」

「讓我重新介紹本公司的業務，本公司專營P膜的製造和販賣——」

「塑膠公司跟我和我老婆有什麼相干！」

「我就說淺白一點，我們是專門出售平行宇宙的公司。」鐘先生說：「這個是你向我們公司購買，按你的要求度身訂造的世界。」

「你……你在說什麼瘋話！」步凱感到天旋地轉，奇怪的是，他彷彿曾在哪裡聽過類似的話。

「你選擇的套餐包括了令自己徹底忘記本來的世界，所以在這個世界裡出售平行宇宙的公司是『不存在』的，你完全不知道還有另一個世界。」

「胡言亂語！你有什麼證據！」

「證據就是你無法前來R大樓。」鐘先生輕鬆地回答，「為了監控這個世界，並且繼續提供售後服務，我們仍然需要設立一個支點，免得我們跟這個世界完全失去聯繫。這座大樓就是本公司的存在的象徵物，就像伊甸園中仍然需要有一棵不能接近的禁樹一樣。你必須要與這裡保持距離，這個世界才得以成立。所以這個世界的運作會自動把你從大樓附近排擠出去。」

步凱啞口無言，他不知道該怎樣回應。但是，他最終也來到了啊！不是嗎？這種天方夜譚——

「你先別心急，我說出前因後果你就明白了。」

鐘先生從櫃裡拿出一個檔案夾，翻了翻，又合起來。

「先說說你為什麼會跟我們公司簽約。距『現在』五年前的八月二十六日，你的妻子徐茵菀在你外出公幹時，被一個闖入屋的強盜強暴然後殺死。」

步凱倒抽了一口氣，他倒在辦公椅子上，回頭看見已經止住眼淚的妻子，她一臉平靜但臉無血色地聽著這些話。這段是什麼鬼話啊！鬼才相信！

「你太過傷心，於是光臨我們公司，購買了『妻子沒有遇上強盜被殺』的平行宇宙——」

「等等！你說的話有矛盾！第一，我何來那麼多錢？你說的不是買顆鑽石戒指而是一個宇宙！第二，如果是平行世界，那麼本來的世界裡還有一個我不是嗎？對那個我而言事實還是沒變，不是嗎？」

「這樣解釋吧，你本來的世界叫A，然後我們造出這個世界叫A'。當A'誕生之後，你就在A世界裡自殺了。並不是很多客人會選擇這樣做，不過你真的這樣做了。所以簡單地說『妻子被殺的你』是『不存在』的，你可以放心。至於第一個問題，本公司有分期付款，而閣下每年都有準時供款。當然為免你起疑，我們會稍稍換個理由。」

原來那個莫名其妙的「病」，只是為了讓他每年付錢給這家公司？

「你的情況其實也頗經常發生在其他客人身上。」鐘先生不管步凱失神的狀況，繼續解釋，「就是，過了一段時間之後，總覺得好像有什麼不妥而突然拚命想找出事情的根源。本公司會履行合約盡力不被你發現，但若果你堅持到底找到R大樓來，我也會把真相告訴你。讓你再次選擇。」

步凱聽到這裡，像有什麼不祥的預感，猛地抬起頭。

「選擇……？」

「選擇要繼續？還是停止？」鐘先生拉起了窗邊的百葉簾，本該還是白天，但現在外面一片黑暗。然後步凱發現了更不自然的地方，不管房屋、車子，還是街燈的燈光，全都是靜止的。正常的話，總有光點閃動或移動才對。

「每當你發現了真相，這個世界就會自動回到最初的狀態。如果你選擇繼續，我們就再來一次，你也會忘記了一切。選擇停止，就是終止合約。A'也就會被廢棄了。」

「等等，什麼叫被廢棄了？那就是說小菀會消失？」步凱急忙回頭，發覺小菀不在沙發上，他連忙跳起身喊叫妻子的名字，卻四處也看不到她。

「不止小菀，還有A'裡的一切，包括你，也會消失。除非你想要回到本來的世界A，但要另外付費。」

「那繼續的話——」步凱倏地感到背脊發寒，「你說我見過你很多次……」

「沒錯，今次已經是第八十七次了。最快是三年，最長是二十一年，你總是在自然死亡之前，察覺到這個世界的違和感，不惜代價進入R大樓。然後又在知道真相後選擇重新開始。」鐘先生說：「還有其他像你這樣陷入迴圈的客人，我們都會保留機會讓他們選擇要不要終止。」

步凱茫然地坐在椅子上。

「那小菀她……她早就知道了？」

「是的，尊夫人每次都比你更早發現真相。為了能令你和她好好白頭到老，自然地脫離這個迴圈，她一直很努力地滿足你，希望你不會動念頭去尋找真相。可惜每一次都失敗了。」

步凱很想笑，很想笑他自己。他竟然低級地以為妻子背夫偷漢，原來她一直在為自己操心！

「但是，最近幾次她也改變了想法。」

聽到鐘先生這句話，步凱抬起了頭。

「她改變了想法？」

「本來其他客人的交易是不該外洩的，不過我跟進你們的個案已經有好一段時間了，我覺得也該讓你知道再決定……」他拿出另外一個檔案夾，「徐小姐，我指尊夫人，打從第八十一次開始，在知道真相之後都會向我提出要求，她也希望購買一個平行宇宙。」

誰說男人不會感到被拋棄，步凱現在就有這種感覺。但想到自己的執念才會把她困在這個世界裡，其實自私的是他，他沒資格責怪小菀。

「那為什麼……」

「每次都來不及啊。」鐘先生笑了笑，「製造出她想要的平行宇宙，我們也要相當的時間預備。比如說尊夫人今次三年前就向我提出了要求，預定後天就能把完成品送到了。結果還是被你快一步先發現了真相。」

「我每次都這麼自私，不理會她的希望重新開始？」步凱對這樣的自己感到驚訝。

「倒不是，這還是第一次你在發現了迴圈的同時，也發現了妻子想購買另一個平行宇宙。以往你都是在不知情的情況下，把她的訂單取消了。」

步凱抱頭呻吟：「小菀她想要一個怎樣的世界？如果她的世界成了真，這個世界就會消失了嗎？」

「請讓我先消除你的疑慮。所有平行世界都是平等的，沒有哪個比較真比較假。由於你跟我們購買的是『妻子沒有被殺』的世界，我們已經做到了，但你的妻子存活下來後作的決定就不在我們的合約內。不過她真的很愛你，當她的新世界A"完成後，她願意保留一個自己留在A'陪你終老。」

「等等，你是說，會有兩個小菀，一個在她購買的世界中開始新生活，而另一個則留在這裡……那留在這裡的小菀仍然脫離不了迴圈吧？如果我仍然繼續……」步凱覺得頭昏腦脹，很混亂，又是A'又是A"，然後還有兩個小菀。

「是的，所以我說尊夫人很愛你啊。」鐘先生誠懇地回答。其實按他的經驗，選擇不死亡的客人也不少，特別是那些能夠明白多元宇宙的意義的人。

「小菀她……她到底想要一個怎樣的世界？」其實不管小菀想怎樣，步凱都願意成全她，他願意跟她去到任何世界。

鐘先生露出有點困惱的表情：「其實尊夫人的要求，每次都會改變。總的來說，她要求的改變越來越徹底。本來客人的要求是私隱，我不該透露。但現在她這次的訂單也失效了，我姑且破例一次吧。」

鐘先生打開文件夾推到步凱面前，他實在不敢相信自己的眼睛。

『徐茵菀小姐，新宇宙訂製要求——生為男性。』

小菀想做男人——？步凱張大了嘴巴，那麼溫婉可人的小菀，完全沒法跟任何男性特徵聯想在一起！

「范先生，我了解你的驚訝。我們跟范太談了很久，她在年紀很小的時候曾經喜歡過一個女生，但是那個年代對同性戀和變性仍然很保守，於是她在父母和環境壓力下接受了現實，努力做好一個女性。及至遇上你，她也真的很愛你。只是當她知道在另一個世界她已經死去——相信她想了很多自身的事，埋藏在心底的夢再次被挑起，是可以明白的。」

鐘先生頓了頓，補充：「不過這對你完全沒有影響，在這個世界裡，小菀仍然是你的好妻子，不會有改變。所以這次是個特例，范先生，你願不願意多等三日，讓我們先完成跟范太的合約呢？這對你毫無損失。」

「我……能不能先跟小菀談一下？」步凱還未能從震驚中回復過來，他覺得喉頭又酸又澀。

「恐怕不行了。因為她是A'的一部分，她已經『重設』了。」

鐘先生站起來，帶步凱穿過一條走廊，走廊盡頭有兩道門。

「你可以打開來看，但請不要走進去。」

步凱不明白，握上了左邊門的手把。他打開門看了一眼，隨即「砰」地一聲把門關上。

一眼就夠了！他不想再多看一眼！

門裡竟是他家的睡房，凌亂不堪，睡床上，小菀雙眼半合半開，動也不動。身上的睡衣被撕割成碎片，血跡斑斑，雪白的床單一片褐紅色……步凱閉上了眼，他拒絕去回想那個畫面。

忘記它是正確的！

他鼓起勇氣再推開右邊的門，這裡面也是他家的睡房。但房間一切如常，小菀蓋著薄棉被，安穩地睡在床上。明明是每天都見慣的尋常風景，現在卻令步凱感到無限依戀。

鐘先生替發呆的他關上門，步凱在兩扇門前站著，沉默不語。

良久，他說：「我能夠在小菀的訂單上再加上我的訂單嗎？」

※　※　※

在除了時鐘外，沒有任何東西可以顯示時間流逝的R大樓裡，步凱不知道過了多久。總之時間一到，鐘先生便走來告訴他，已經完成了，小菀訂購的世界已經誕生了。

步凱茫然地望著他的營業笑容，在這裡的他不會對那個世界有任何感覺。

他再次走到那兩扇門前面，然後打開了右邊的門。他走進去爬上床，在熟睡的妻子眼角輕輕吻了一下，然後滿足地抱著她閉起雙眼。

當他明天醒來，一切會再開始，但這次他再也不會去追尋真相了，因為他額外付手續費請鐘先生為他保留了記憶。

這一次，即使他明知道妻子本已死去，明知道這不是她的理想世界，不要緊，就這最後一次，他要跟她白頭到老。

※ ※ ※

他不情不願地睜開了眼睛，在床上撐起半身伸了個懶腰。

在醒來的一刻他就感到後悔了，昨晚忘了先關掉鬧鐘，枕頭預設在早上七點正就會把他弄醒。今天是假期，他好應該再睡一會兒。

殷元關掉鬧鐘，回頭一看，枕邊人猶在夢鄉。

這麼美的女人上哪裡找？他實在不由得定睛細看妻子的睡姿。

殷元的妻子叫范佈霞，暱稱小霞。到現在殷元還記得結婚那天他有多麼快樂……

得獎感言　夜透紫

從小就喜歡科幻小說和電影，衛斯理系列更是陪著我成長。因為太喜歡，反而不太敢下筆寫科幻。沒想到竟能在以倪匡先生命名的比賽中獲獎，實在很驚喜。對於從小就渴望成為作家，現在也為此豁出去的我來說，這次獲選真是一份天父的禮物。

既然網絡已經讓地域和語言的阻隔縮小了，我們就用它來展開純文字以至多媒體（當然電腦病毒除外）的交流吧。

網站：http://www.internal-dream.net

網誌：http://hk.myblog.yahoo.com/gleamofdream

※已經進化至有自我意識的電腦病毒，承諾不破壞我家硬碟的，也可以談談。

評審講評　葉言都

倪匡先生認為小說好看最重要，本文就是一篇非常好看的科幻小說。

本文故事懸疑緊湊，情節發展迅速，高潮迭起，確屬好看之作。小說中場景的安排與敘述充滿臨場感，有點像雷・布萊柏利（Ray Bradbury）的科幻小說，只要「一頁一頁撕下來，然後塞進攝影機裡」，就可以拍成電影。作者經營故事的功力，由此可見。作為科幻小說，文中到處可見對未來世界看似不經意的描述，如「家事用機械人」、「傳送站出口」、「望遠眼鏡」等，營造出科幻的氣氛，襯托出「訂製平行世界」的科幻主題，不露痕跡，寫作技巧有可觀之處。

敘述觀點的問題是本文的瑕疵。有時原以男主角進行的觀點被女主角或「鐘先生」的觀點打亂，影響閱讀的樂趣。至於題目，似可考慮直接訂為「失諸交臂」，不必用外文，如此非但不影響，甚至可能增加懸疑氣氛。

從文中「太太」稱為「太」、「分期付款」稱為「月供」、「約會賓館」稱為「時鐘酒店」等看來，作者的母語必為香港的廣東話。由此入手，對本文結尾設定的另一平行世界中的人名，其他地區的讀者將終於能了解其意義：「殷元」當然等同「徐茵菀」；而「范佈霞」也就是「步凱」了。蓋「霞」、「凱」二字廣東話發音近似。明乎此，才能得知作者設定的迴路至此方告完成。

讀懂中文科幻小說，其困難有如是者。

決審會議紀錄

陳秀珠、康婉玲　共同整理

會議時間　民國九十九年一月七日下午三點至六點

會議地點　皇冠文化集團七樓

主持人　葉李華

決審委員　陳克華、陳穎青、葉言都

現場紀錄　陳秀珠

入圍作品

一、無毛猴子

二、死亡考試

三、純潔行銷

四、春天的豬的故事

五、烏洛波洛斯

六、山下

七、數學家的遺囑

八、Presque Vu

九、牆

十、客星

十一、朝朝暮暮，暮暮朝朝

十二、2046埋冤

評審概況與相關規定

葉李華：倪匡科幻獎從二〇〇一年舉辦至今已邁入第九年，本屆實際上收到五百五十九件作品，初審後入圍九十件，複審後入圍十二件。初審委員包括夏佩爾、王經意、陳巍仁、龍俊榮、魏嘉華、劉碧玲、陳湘婷、吳鴻，複審委員是張草與蘇逸平。初審委員與複審委員每年流動率不高，因為兩者主要扮演過濾的功能，由有經驗的人擔任較為妥當。至於決審委員，除了倪匡本人，其他人頂多連任一屆，以廣納多元的意見與觀點。

本屆決審預計選出六篇作品，分首獎、二獎、三獎以及三名佳作。根據徵文啟事，參賽作品如未達水準，若干獎項可由決審委員決議從缺，在特殊狀況下，決審委員亦有權調整獎項數目與獎金金額。此外，今年的徵文啟事特別注明「請盡可能用創新或罕見題材，以及流暢優美的文字」。

對入圍作品的總評

葉言都：這十二篇入圍作品似乎涵蓋了台灣、大陸和香港的作者，有些作品表現出政治與文化背景，地方色彩的痕跡稍微濃厚了一點。此外，這幾年有許多很新的科學題材，可惜在這次的作品中我沒有發現，或許是因為主修自然科學或科技的作者不多。當然，任何人都可以寫科幻，但是我認為，想要寫一篇很理想的科幻小說，勢必要對所描寫的科學領域做一些研究，然後才能推想。假如科幻小說裡完全沒有科學因素，即使寫作技巧再好，文學價值再高，我也不會列入考慮。

陳穎青：我百分之百同意葉老師的觀察，但由於我是第二年擔任決審委員，相較去年的閱讀經驗，我覺得今年有進步。去年首獎從缺，今年整體水準比去年好，許多作品的寫作技巧都很不錯，雖然不是每一篇都非常讓人驚豔，但投稿者的整體水準確有提升。

陳克華：我是第一次參加倪匡科幻獎的評審工作，比起以往評選純文學作品，這次的評審經驗對我來說非常奇特，而且我覺得這些作品都很好看。我自己對科幻小說大致有兩個甄選標準，第一，必須有很好的科幻構想，第二，必須從科幻的架構中呈現所要表達的文學情境。此外，有沒有讓我獲得閱讀的樂趣，也是我甄選得獎作品的原則。

葉李華：以下進入第一輪投票，請三位決審委員各自圈選心目中優先入選和優先淘汰的作品，優先入選為A，優先淘汰為B。

第一輪投票

編號	作品名稱	陳克華	陳穎青	葉言都
一	無毛猴子			
二	死亡考試	A	A	A
三	純潔行銷	A	B	
四	春天的豬的故事		B	B
五	烏洛波洛斯			
六	山下	B		
七	數學家的遺囑	B	A	B
八	Presque Vu	B		A
九	牆		B	A
十	客星			A
十一	朝朝暮暮，暮暮朝朝	A	A	A
十二	2046埋冤			B

葉言都：我淘汰的作品是四號、七號、十二號。這三篇其實還不錯，問題出在四號〈春天的豬的故事〉是一篇很好的諷刺小說和寓言小說，七號〈數學家的遺囑〉是一篇標準的推理小說，十二號〈2046埋冤〉是用象徵手法寫的小說。就文學的角度來看，三篇都沒問題，但是科幻成分實在太淡了。

陳穎青：我淘汰的作品包括三號、四號、九號。三號〈純潔行銷〉的故事還不錯，但大前提無法說服我。四號〈春天的豬的故事〉幾乎是在宣洩個人的情緒，並沒有特別經營故事內容，似乎找不到它作為一篇科幻小說的價值。九號〈牆〉的情節說服力不足，不容易讓我投入。

陳克華：我淘汰的是六號、七號、八號。六號〈山下〉是一篇很平淡、沒什麼表現的小說，不論科幻的設計或文學的描述都不夠，七號〈數學家的遺囑〉我讀到三分之一的時候，大概就知道後面要說些什麼，八號〈Presque Vu〉讓我想到電影《香草天空》，不符合創新性這個要求，所以我將它淘汰。

葉李華：一號、四號、五號、六號、十二號完全沒有得到入選的票，請各位委員先針對這五篇作品進行討論。

一號、〈無毛猴子〉

葉言都：這篇是科幻小說中常見的題材，但整體來說不算太差。

陳穎青：這是一篇黑色諷刺小說，整篇來說企圖很好，不過情節破綻太多，例如故事中提到食物匱乏，卻又有那麼多肥胖的人，胖到要去抽脂。

陳克華：這篇講到人類的食慾，確實很特別。南國與北國採取完全不同的生存策略，北國鼓勵大家吃，導致大家都變成胖子，而南國則是讓所有的人變成瘦瘦小小，食物的攝取量因而減少。北國是開源，南國是節流，故事到最後，開源的北國人把節流的南國人給吃了，諷刺得很入骨。這篇的缺點在於最後的諷刺並沒有真正表達出來，很多地方讀起來不大合理。

評審團結論：暫時保留。

四號、〈春天的豬的故事〉

葉李華：葉言都與陳穎青兩位已經評論過這篇，請陳克華老師發表意見。

陳克華：我覺得本篇比較像奇幻小說，一開始的畫面很駭人，可惜後來並沒有讀到作者究竟要表達什麼。

評審團結論：確定淘汰。

五號、〈烏洛波洛斯〉

葉言都：烏洛波洛斯（Ouroboros）是「銜尾蛇」的意思。我在讀本篇的時候有個感覺，主題很老套，結構欠完整，很多地方沒有交代清楚，而且文字也欠純熟。

陳穎青：整個情節看起來言之成理，但是基本上這是一個舊題材，例如海萊因《夏之門》的結構要比這篇嚴密得多。顯然作者花了所有的力氣在表現這個題材，但我實在看不出來，他除了把「結果」設計成前面的「原因」之外，還想要表達什麼。

陳克華：這篇我乍看非常感興趣，但後來發現有個問題，請大家看第六頁：「你擁有以前學習過的技能，你有時候記得起來你從前是什麼樣的人，但是你的記憶永遠止於二〇七一年二月十三日！」這段話最大的問題在於「有時候記得起來」，似乎作者愛怎麼寫都可以，我覺得他給自己的空間太大了。

評審團結論：確定淘汰。

六號、〈山下〉

葉李華：陳克華老師已談過對這篇的看法，請其他兩位委員發表意見。

陳穎青：這篇作品企圖很大，可是完全沒有足夠相稱的文學表現。故事描述反烏托邦社會，我卻看不出來人類怎麼會走到他所描寫的那個情境，因此一點也不會覺得可怕，也就是說這個故事並沒有打動我。

葉言都：我完全同意陳社長的看法。這篇在文學技巧上不夠純熟，結尾似乎欠缺一些東西，總而言之，太過平淡，缺乏可讀性。

評審團結論：確定淘汰。

十二號、〈2046理冤〉

葉李華：葉言都老師已談過對這篇的看法，請其他兩位委員發表意見。

陳穎青：這篇的企圖很驚人，讓人印象深刻，但是作品的表現無法說服我。作者把人會面對的道德困境放到小說裡，這點值得鼓勵，然而主題的描述不夠動人，非常可惜。

陳克華：整個科幻企圖的設計我覺得還可以，但是我不喜歡這個題材，因為作者把很純粹或極致的個人道德判斷，放到法律的層面，這樣的主題我認為不及格。

評審團結論：確定淘汰。

葉李華：接下來請討論七號作品，因為根據投票結果，陳穎青社長認為這篇可以入選，但其他兩位認為應該淘汰。

七號、〈數學家的遺囑〉

陳穎青：這篇作品也是老題材，但是整個故事的情節相較之下仍有可讀性，所以我認為不應該被淘汰，也許有得佳作的機會。

陳克華：這麼說的話，我覺得可以保留。

葉言都：同意。

評審團結論：暫時保留。

第一輪討論結果：淘汰四號〈春天的豬的故事〉、五號〈烏洛波洛斯〉、六號〈山下〉、十二號〈2046埋冤〉，其他八篇作品皆保留，進入第二輪討論。

第二輪投票

編號	作品名稱	陳克華	陳穎青	葉言都	計分
一	無毛猴子				0
二	死亡考試	A	A	A	3
三	純潔行銷	A			1
七	數學家的遺囑		A		1
八	Presque Vu				0
九	牆	A			1
十	客星	A		A	2
十一	朝朝暮暮，暮暮朝朝	A	A	A	3

說明：針對進入第二輪討論的八篇作品，每位委員投票選出心目中最優秀的幾篇，以A代表。

葉李華：請大家根據投票結果，先討論哪幾篇可以列為前三名。

葉言都：依照這個趨勢來看，我所圈選的二號、十號、十一號三篇都可以列為前三名。

陳克華：我很希望三號〈純潔行銷〉可以得前三名，其實這篇是我心目中的第一名。

陳穎青：請陳克華老師說明支持三號〈純潔行銷〉的原因。

葉言都：我也很想聽聽看。

三號、〈純潔行銷〉

陳克華：本屆徵文啟事特別注明：「請盡可能用創新或罕見題材」，而在我的閱讀經驗裡，三號〈純潔行銷〉又色情又嘲諷又有創意，最符合這個宗旨，所以我想幫它爭取。這篇很像色情小說，讀起來樂趣無窮，在黑色喜劇的高度上，有點接近魯迅。我覺得最棒的地方就是故事的結尾，利用生殖器的轉換與保存，主角竟然脫離了原有的社會階級，從一個平民女子變成了可以嫁入豪門的人。這樣的結尾讓這篇小說變成極度嘲諷的「黑色喜劇類」科幻小說，我覺得在所有作品當中，無論是創意或是眼界，這篇都超越其他的作品。

陳穎青：作者想像一個強暴犯橫行的社會，由此發展出一種商業模式，若從創意的角度來看，確實很少看過這類題材。不過，其中有幾個問題，作者並沒有解釋清楚，例如陰部是一個凹陷的東西，若要變成可拆卸的裝置，顯然要擴大凹陷的範圍，到底要如何實現？

葉言都：這篇究竟是不是創新或罕見的題材，就我個人的認知，我只能承認一半，也就是說，把身體上的一個器官拆下並儲存起來，這個姑且可以說是創新，但是故事的社會背景，已經在其他科幻小說出現過。

陳克華：我所謂的創新是相對而言，在中文科幻小說創作裡，這篇的題材的確比較少見，我覺得不列為第三名很可惜。

第二輪討論結果：三位委員針對二號、三號、十號、十一號這四篇作品再投一次票，用一至四名的方式表示，即分數越低代表名次越高。

第三輪投票

編號	作品名稱	陳克華	陳穎青	葉言都	計分
二	死亡考試	2	1	1.5	4.5
三	純潔行銷	1	4	4	9
十	客星	4	3	3	10
十一	朝朝暮暮，暮暮朝朝	3	2	1.5	6.5

陳穎青：看來我們應該討論前三獎到底應該給三個還是四個名額？

葉李華：沒問題，徵文啟事已有規定「在特殊狀況下，決審委員亦有權調整獎項數目或獎金金額」。

葉言都：我個人的看法，二號、十號、十一號必然是前三名。

陳穎青：從嘲諷的角度來看，我同意陳克華老師對三號的說法。假如作者其實就是在寫一篇很荒謬的嘲諷劇，那麼我可以忽略所有技術上的問題。

葉言都：好吧，我也同意三號可以列入前三名。

評審團結論：今年的前三獎共有四個名額，二號、三號、十號、十一號。

葉李華：請大家再花點時間討論二號〈死亡考試〉、十號〈客星〉、十一號〈朝朝暮暮，暮暮朝朝〉

這三篇作品。

二號、〈死亡考試〉

葉言都：科幻小說應該包含的東西，這篇通通都有了，既有科幻元素，又有情節，可以讓人很順利地讀下去。不過，這是一篇反烏托邦的科幻小說，作者卻好像寫得太露了，除非是有政治上的目的，像清朝末年的科幻小說，為了推行改革運動，才會出現這樣的寫法。這篇把「上海」明明白白寫出來，這是我認為值得商榷的地方，很多有名的反烏托邦科幻小說，例如《美麗新世界》、《華氏451度》，都沒有確實注明是哪個國家。

陳穎青：這是一篇很標準的反烏托邦小說，其中提出來的情節乍看之下讓人覺得很錯愕，世界上怎麼可能會有這種事情！作者對於故事的解釋很合理也很成功，而這個解釋又完全建築在對整個現實社會的嘲諷上，充滿很多黑色幽默趣味。無論在文學的深度與實際的表現上，我都覺得本篇是這屆成績最好的一篇，所以是我心目中的第一名。

陳克華：我完全同意陳社長的看法，這篇是所有的入圍作品中，文學高度最高也最感人的作品，不但在科幻的領域裡有很完整的設計，而且把人性裡最深層的東西都表達出來，得第一名絕對沒有問題。

十號、〈客星〉

葉言都：這篇作品令我印象非常深刻，我認為它是一篇氣魄非常大的科幻小說，雖然是舊題材，但是表現的方法，以及大製作大氣魄的寫法，是其他各篇所沒有的。

陳穎青：我同意葉老師的看法，不過這篇對我來說有個困擾，就是那麼了不起的文明，竟然請一個地球人來幫忙仲裁一個宇宙事件，從這個角度來看，作者的說服力似乎不夠。

陳克華：若就題材來看，論創新性的確是不足的，而且我不大懂作者到底要傳達什麼。這篇故事在邏輯的推演上有很多牽強之處，讀起來不像三號這樣妙趣橫生，充滿漫畫式的狂想。

十一號、〈朝朝暮暮，暮暮朝朝〉

葉言都：本篇並不算是很特別的題材，但它把比較緊張的情節通通加到裡面，確實是一篇好看的小說。我要提出一個問題，所謂「回溯一天」，若是從天文學的角度，一天就是地球繞著自轉軸轉一圈，假如真有時空回溯期，作者應該略微交代，故事中回溯的漩渦為什麼是一天？這種繞圈圈的故事其實很多，但在繞圈圈的過程中主角會慢慢變老，我倒是第一次看到，這應該算是一種創新。

陳穎青：作者雖然使用陷入迴圈這個常見的情節，可是主角會不斷記取上次的教訓，然後在新的迴圈裡設計新的行動，新的策略，希望有新的不同變化，這是我覺得這篇小說的新意。單看這篇小說，我覺得很棒，也值得回味，但若跟二號〈死亡考試〉相比較，後者更豐富一些，寫到了整個社會的沉重。

陳克華：作者把小說動人的元素通通加進來了，這篇作品可說是古詩詞的科幻版。

評審團結論：二號〈死亡考試〉第一名，十一號〈朝朝暮暮，暮暮朝朝〉第二名，三號〈純潔行銷〉與十號〈客星〉並列第三名，平分十萬元獎金。

葉李華：接下來請大家討論另外四篇，一號、七號、八號、九號，是否全部列為佳作？

一號、〈無毛猴子〉

葉言都：我覺得一號可以列為佳作，這篇的內容是標準的科幻小說。

陳克華：作者在科幻的設計上確實相當有趣。

陳穎青：我也同意列為佳作。

評審團結論：列為佳作。

七號、〈數學家的遺囑〉

陳克華：這篇是科幻小說的模範生，但模範生也可能是最乏味的。我覺得結局有點老套，讀到一半的時候，我已經猜出來後面要講什麼了。

葉言都：對我而言，這篇只有「科」沒有「幻」，是標準的推理作品，不過寫得倒是四平八穩。

陳穎青：我覺得故事的結局還不錯。

評審團結論：列為佳作。

九號、〈牆〉

葉言都：在這次的十二篇入圍稿件裡，本篇算是非常特殊的，這樣的題材雖然不能說是完全創新，但好像現在用這種方式寫作的人並不多。小說本身有很多很多的問題，作者似乎什麼都想寫，都想包括進去，感覺上他越寫到後面，野心就越膨脹。

陳穎青：讀完這篇〈牆〉，我就知道作者顯然意有所指，拿牆來做比喻，不管是明喻或者是暗喻。作為反烏托邦小說，本篇描述了很多事情，可是卻讓我們感受不到那些嘲諷，而且整篇的科技著墨也不夠多。

陳克華：這篇的完成度太低，一開始的時候，牆的象徵意義非常清楚，可是好像越寫越變成一種狂想，牆本身的諷刺意味完全失焦了，我只能說這是一篇失控的小說。

陳穎青：我覺得這篇應該淘汰。

評審團結論：決定淘汰。

八號、〈Presque Vu〉

葉言都：這篇與十一號〈朝朝暮暮，暮暮朝朝〉很像，兩篇的題材幾乎一樣。作者用了法文的標題似乎沒有必要，內容也有一些小的瑕疵。但是這篇作品之所以吸引我，是因為我在閱讀的過程中讀懂了一件事：前面的男主角叫「步凱」，女主角叫「徐茵菀」，後面的男主角叫「殷元」，女主角叫「范佈霞」，我認為作者的母語顯然是廣東話，所以「徐茵菀」與「殷元」是類似的發音，「步凱」跟「佈霞」也類似。作者設了這樣一個局，把男女主角的身分倒過來，就我個人來講，花了一番功夫才看出來這個布局，因此覺得這篇可以列為佳作。

陳穎青：八號〈Presque Vu〉和九號〈牆〉相比，我覺得八號比較好。

陳克華：我沒有意見。

評審團結論：列為佳作。

評審團結論：本屆佳作共有三篇，分別是一號、七號、八號。

葉李華：我再確認一次，今年總共有七篇得獎作品，首獎是二號〈死亡考試〉，二獎是十一號〈朝朝暮暮，暮暮朝朝〉，三獎是三號〈純潔行銷〉與十號〈客星〉，三篇佳作分別是一號〈無毛猴子〉、七號〈數學家的遺囑〉、八號〈Presque Vu〉。

評審團：完全正確。

得獎名單

名次	作品名稱
首獎	死亡考試
二獎	朝朝暮暮，暮暮朝朝
三獎	純潔行銷
三獎	客星
佳作	無毛猴子
佳作	數學家的遺囑
佳作	Presque Vu

第十屆倪匡科幻獎

出不來的遊戲

壹通

名次：首獎

1

遊戲軟體公司的業務專員打電話來，告訴他們在一款歷史戰爭的電玩裡，有人認出他們的兒子來。「他躲在裡面一段時間了，這件事用電話很難講清楚，歡迎親自光臨敝公司，這邊會有專人為你們解釋。」

一開始兩夫妻以為是詐騙集團打來的電話，對方一定知道他們的兒子失蹤了，想要來騙點錢。自從兒子離開家後，他們用盡各種方法找他，半年來沒有任何消息。許多人都知道他們的兒子不見了。這段時間有陌生人打電話來，說在屏東一家網咖遇見一個遊浪漢，長得跟網路上看到的照片很像，如果能先寄十萬塊過來，他可以幫忙把小孩送回家。他們當然沒答應。

「既然知道又是個來騙錢的，」晚上睡覺前，丈夫說：「那就沒什麼好怕的了。」

第二天，兩夫妻按照地址，找到那家遊戲軟體公司。「是這樣的，」負責接待他們的是一位業務經理，看來沒比自己兒子大多少。「過去這幾個月，全世界不論哪一家公司開發出來的產品，都碰到跟我們一樣的問題。」

穿西裝打領帶的年輕人說，差不多三四個月前，世界各地的玩家陸續發現從遊戲螢幕上的山洞、雲端、海面等處冒出跟真人一模一樣的影像，一出現馬上衝鋒陷陣、遇到妖怪就砍一刀，撞上石頭便碰碰敲碎，敵人擋路飛過去立刻廝鬥一番，兩三下把對方剁成碎片，順便奪取寶物。這些不知從哪裡生出來的傢伙實在太猛了，一開始玩家們呆呆看著遊戲被這些莫名其妙的人占領，還覺得有些新鮮，他們試著加入戰局，很快發現根本不是他們的對手，派出去的人手、武器三兩下被殲滅。

「他們說，遊戲變得不好玩了。」年輕人說：「到後來各路網友只好串聯起來，發動最猛烈的攻擊，把這些不速之客殺個片甲不留。對了，他們把這些闖進來的稱作『蟑螂』。不過這樣做的結果是，整個遊戲馬上結束。還想再玩的話，就必須從頭開始。但很快又遇到跟先前一樣的困境：那些先前被炸死的蟑螂依舊完好如初。如果沒有發動毀滅式的攻擊，他們根本打不贏這些蟑螂。」

「還好我們公司一接到顧客反映，很快研發出新版軟體，針對這些闖進來的蟑螂特性，對武器的設計跟攻擊面向都做了調整，只要下載後更新，玩家們立刻有新的法寶可用，到目前為止，各方反映還不錯。這方面我們公司的技術與創意可以說獨步全球，許多公司解決不了的問題，我們已經搶先人家好幾步……」

「不好意思。」丈夫打斷年輕人的談話：「你知道，我們這種年紀的人是不碰那種東西的，所以，到底你想跟我們說什麼。」

「喔，是這樣的。後來陸續有玩家向我們反映，出現在裡面的蟑螂，有些是他們認識的朋友。這些被指認出來的共同特點是，他們大都是因為熱中於遊戲而猝死。我們試著聯絡這些朋友的家屬，讓他們指認後，確定身分。到目前為止，公司起碼累計了幾百個確定案例。」年輕人扶了一下眼鏡：「也就是說，出現在遊戲裡面的蟑螂，其實是這些家屬的親人。至於他們為什麼會出現，我們還在努力研究。」

「不可能。」妻子說：「我兒子只是失蹤而已，跟你說的那些人不一樣，不要亂講。」

「嗯，妳說的也是有可能。」年輕人說：「這裡面有好幾個案例，跟那些已經死去的確實不太一樣。他們被敵人的武器鏢中時，會明顯露出痛苦的表情，身上還會流血。其他的瞬間瓦解後就消失了，當然，如果重新開機的話，這兩種蟑，呃，又跟沒事一樣，繼續加入裡面的戰鬥遊戲。」

年輕人站起身，往隔壁間走去：「請兩位來的目的，就是想讓你們看看，到底出現在遊戲裡面的這一位是不是你們兒子。等確認後，我們再來談其他的。」

兩夫妻在他身後嘀咕：「會有這種事？」他們顯然不相信，不過還是跟了過去。

隔壁工作室的門一打開，傳來跟電影院一樣的立體聲響，好像正在播放戰爭片，碰碰碰的節奏聲很逼真、飽滿，震得兩鬢血管蹦蹦狂跳。牆上安置一面上百吋的大螢幕，畫面上一片黃沙泥地，許多道城牆後面躲著士兵，四周插上各種顏色的軍旗，還有一些石塊堆壘出來的山丘上方，盤繞著身披鎧甲，背上生出銀色鐵翼的怪物。其中一隻怪物被一道飛過來的火槍刺中，發出喔嗚的痛苦吼聲。

「是這個沒錯。」一聽見那叫聲，丈夫回頭跟妻子說：「以前他的房間裡都是這種聲音。」

年輕人露出微笑：「他還算好找的，因為他只固定出現在少數幾種遊戲裡，不至於到處亂跑。」坐在一張電腦桌旁邊移動滑鼠，把整片螢幕往下拉，畫面左右兩側下方各出現一個籠子，柵欄裡上百個人蹲坐在地上，好像被人餵了藥，目光呆滯、神情恍惚。

「啊，小夫！」兩夫妻同時叫出聲。他們在左下方的籠子裡認出自己的兒子。妻子上前指著籠子裡一個身穿紅色T恤、藍色印花海灘褲，腳底一雙夾腳拖鞋的高瘦男生。「那天早上，我就是看他穿這樣跑出去的。」被指住的那人似乎不知道螢幕外的人正在看他，臉皮鬆垮，頭髮亂蒼蒼，像水族箱裡的魚緩慢無神地左右晃動。同一個籠子裡有兩個人緊緊抓住柵欄，不停朝籠外張望，只要聽見轟隆的爆炸聲兩腿就用力蹬一下，巴不得逃出去加入外面的戰鬥遊戲。

「不要小看他們。」年輕人說：「他們還是挺有腦筋的，有時候抓回來放在這邊，一不小心又被他們溜出去。這些都是我們公司的遊戲改版後，請玩家幫我們抓回來的。當然，每抓一個回來，玩家可以得到他們要的寶物或天幣，所以有些玩家專攻如何抓蟑螂，在網路上他們被稱為『蟑螂派』。」

「這個……」丈夫上前指住自己的兒子：「他被抓來多久了？」

「稍等一下。」年輕人移動滑鼠到那男生的身上點了一下，出現一個資料框，上面有幾行數據。

「嗯，有三個多月了。他的戰鬥數值中等，攻擊力普通，行動慣性晝伏夜出，比較偏思考型，串連力偏弱，不太跟其他戰友溝通，屬於獨來獨往型。還有，」年輕人翹起拇指放在唇邊：「根據我們觀察員的紀錄，他經常把拇指放進嘴巴裡吸。」

兩夫妻聽他這樣說，看了彼此一眼。「他一直到讀高中還有這習慣。」丈夫說。

「怎麼辦呢？」妻子說：「我兒子在你們這邊，有辦法放他出來嗎？」

聽他這樣說，年輕人瞪大眼睛看著她，露出不可置信的表情：「這位太太，如果可以的話，我們當然會這樣做，不然我們公司不就犯了囚禁人身自由的罪了？再說，」指著右下角另一個籠子：「放在這邊的都是打網咖、玩遊戲猝死的，如果他們能出來，那麼閻羅王大概準備要失業了。」

「可是到目前為止，我們的孩子不過是失蹤罷了，不是嗎？」妻子說。

「嗯，根據我們公司的觀察，是這樣沒錯。不過把你們的兒子找出來，這是警察的責任。當然我們也希望他能趕快被找到，不然住在遊戲裡的這些朋友，不知道又會耍出什麼厲害的手段，到時候整個遊戲又被癱瘓，我們工程師又要抓狂了。」

「那，」丈夫點了兩下頭，似乎比較明白年輕人在說什麼。「所以，我們只能在電腦遊戲裡面見到他？」

「是這樣沒錯。你兒子的狀況算好的，到目前為止，他只跑出去三次，而且他只喜歡出現在歷史戰爭的遊戲裡，豐臣秀吉、三國爭雄之類的。」

「都怪你，」聽見年輕人這麼說，妻子對丈夫抱怨：「從小就給他看什麼群雄爭霸的歷史，現在可好了。」

「看那個有什麼不好？我是想讓他早點認識人性，順便培養他的領導能力，長大後不要被人家踩在腳底下，我哪知道後來他只愛玩這個？」

「這位先生說的沒錯。」年輕人說：「我們公司的遊戲都有聘請各行業的專家當顧問，裡面的情節設計與角色安排都兼顧到教育內涵，也有家長跟我們反映，他們的孩子會知道誰是豐臣秀吉、曹操和劉備的故事，都是從遊戲開始的呢。而且，你們兒子跑進去的這款遊戲，去年有得到韓國遊戲設計的大獎，可見他的眼光不差——」

「都是你在講。」妻子打斷他的話：「那現在要怎麼辦？」

「喔。其實只是想通知兩位，你們小孩在這邊過得好好的，不用太擔心啦。」

聽見他這麼說，丈夫有些不悅。「怎麼這話聽起來像是綁匪在跟家屬講話？」

「呃，很抱歉，我並沒那個意思。事實上為了要照顧這一批朋友，公司投入的研究經費，遠超過開發一項新的產品呢。」

「我懂了。」丈夫仔細看了年輕人一眼：「我們小孩現在在你們手裡，需要多少錢？你講。」

年輕人「噗哧」一聲，趕緊站起來欠了幾個身：「您誤會啦。你們小孩在這邊不用錢的。這只是我們公司提供的服務之一，不單是照顧到客戶的需要，也是為了社會上某些家庭。公司有規定，只要有人通報這些朋友家裡的聯絡方式，我們馬上會接洽訪談。也許從家人的隻言片語中，可以更快找出他們的共通特質，到時候會有更進一步的發現也說不定。」

「到底是誰通報給你們，我們的小孩在遊戲裡面？」丈夫問。

「這不能透露，請你們見諒。公司也有規定，為了避免證人受到不必要的干擾，除非有特殊狀況，我們不會說出對方的資料。不過，」年輕人從抽屜拿出兩本會員名冊：「這邊已經有上百個家庭加入我們的關懷追蹤計畫。必須先跟你們報告的是，這部分就需要付費了。不知道你們想不想繼續聽？」

「那應該花費不少吧？」妻子瞄了一眼桌上的名冊，紅色那本的封頁上寫著「美麗人生」，藍色那本印上「幸福天堂」。

「這兩本差在哪裡？」

「那些已經確定往生後才跑進來的，都收在這本裡面。」年輕人指著藍色的本子：「這些朋友需要的照顧，跟失蹤的朋友不太一樣。基本上我們提供給家屬的軟體，他們回去後只需依照畫面顯示的宗教類別按下滑鼠鍵，接下來會出現一些細目，看他們想幫孩子祈福還是誦經，或者跟孩子對話也可以，螢幕上會出現各種音樂和心情紀錄，家屬也可以透過打字跟孩子溝通，我們這邊會有專人根據談話的內容，模擬小孩的心情和語氣回應過去。每個月只收一些管理費，就能為會員提供服務。如果有不錯的概念跟點子，反映給公司後，設計師這邊會儘速更新調整，幫大家提供更好的服務。」

年輕人從身後抽出一本資料夾，翻了幾頁：「讓我們很感動的是，過去這幾個月，已經收到這麼多封感謝函。他們很謝謝公司提供的服務，許多以前來不及跟小孩說的話，現在終於有機會說出來。」

「人都已經不在了，」丈夫沉下臉喃喃說道：「弄這些東西有什麼用。」

「看個人的感覺啦。」年輕人咧了一下嘴，兩頰肌肉有些僵硬：「所以我們完全尊重對方的意願，我們真的只是提供家屬需要的服務而已。就像這裡面有個父親提議，可不可以每次把心經打字一遍後上傳，累積到一定次數，就能把兒子送往比較高層次的境界，例如琉璃淨土還是華嚴世界，不要每次看到的背景都是打打殺殺的畫面。」

「有這種事？」丈夫鼻孔哼了一聲：「如果那個父親作弊，給你用重複貼文的方式，他兒子不就一個晚上爬到天頂見玉皇大帝了？」

「你說的沒錯，」年輕人拍了一下手：「當初聽到這項建議時，馬上就有同事提出跟你一樣的想法，所以在程式設計上有把這點考量進去。」

「你們這要多少錢呢？」妻子指著紅色那一冊：「我兒子應該屬於這邊的吧？」

「沒錯。這邊稍微貴了一些，不過在玩法上會比較有趣、生動。」年輕人看著女人：「這很容易的，只要妳有心，想跟自己孩子相處多久都可以，如果覺得枯燥，我們還會隨時更換新的設計讓妳選擇，不想再繼續下去的話，也可以隨時中止服務，很自由的。」

年輕人知道這個太太已經動心，點了兩下滑鼠，螢幕瞬間變出許多分格的影像：「妳看，只要妳願意，他可以有這麼多地方可以去。這裡有倫敦、巴黎、東京……，學校有劍橋、哈佛，要讀本土的台大也可以，想讓妳孩子唸哪裡，還是讓他住豪宅，隨妳自己的意思。重要的是這邊全天候都有人管理，有什麼狀況妳隨時可以傳訊或打電話過來，我們會馬上為客戶服務。」

「你覺得呢？」妻子碰了一下丈夫的手肘，兩人對看一眼，往門外走去。「你讓我們商量一下。」

「沒關係。」年輕人站起身朝他們鞠躬：「謝謝你們給我服務的機會。」

2

有很長一段時間，兩夫妻下班後就守在電腦螢幕前，仔細討論兒子的住處環境，今天跟昨天差在哪裡。上班時一想到，也會在電腦桌前偷看一下他在做什麼。自從買了軟體之後，他們請遊戲公司把孩子從籠子裡移出來，放置到一間有院子的兩層樓小屋裡。公司的專員告訴他們：「如果你們兒子不滿意，我們還有其他的住處選擇。」

他們感覺得出來，兒子在那邊過得還算不錯，兩個月下來，臉頰豐潤了一圈，他喜歡在樓上樓下不停走動，或者坐在門前台階上發呆。只有幾次他想要衝出大門外，不過遊戲公司早已設計好一層無形的防護網，一跨出大門半步，馬上被防護網給擋了下來。他頂多可以繞著屋外的籬邊小路散步，像個文人一樣安安靜靜地沉思走路，然後乖乖地回到屋裡。他們怕他無聊，給他從網路商店點選了一些書、房間裡掛上幾幅名畫，也挑了幾片CD精選讓他聽。直到他們也覺得這些音樂有些膩了，才又換其他的音樂。最近他們想在兒子的住處四周植些花草，好讓屋子看起來有氣質一些，不過很快就被兒子踩扁。

「他一定覺得，現在的生活跟以前尋寶探險的日子比起來，一點都不刺激吧。」丈夫說。

「沒關係，有一天他會習慣的。」妻子挪了一下滑鼠，朝網路商店裡的花草區點了三四下，底下儲值的點數立刻減去一些數字，小屋窗邊長出三排嫩葉。

「下次再不乖，去找一排有刺的草來，看你還敢不敢亂踩。」丈夫對螢幕裡的兒子罵。兒子站在小屋樓上的窗邊，只露出半張臉，看不出他在裡面做什麼。

「你看你，把他嚇成這樣，好不容易才乖乖待在這裡，不要又給你鬧失蹤了。」丈夫看了一下正在舉手搔頭的兒子，還是無法看清楚他的表情。「他到底聽不聽得到我們在說什麼啊？」

「那有什麼關係？」妻子說：「他乖乖待在那裡，不要亂跑就好。」

有時候兩夫妻看了半天，從螢幕底下拉出其他視窗，馬上出現以前兒子熟悉的遊戲場景，有的是日本古代戰爭場面，再敲一下滑鼠，又變成古堡城牆底下的騎士爭鬥，背景音樂跟著出現怪獸嘶吼的怒聲，間雜刺耳的電子音樂。通常兩夫妻看了一下就切換回來，他們還是受不了那種昏天暗地不斷打鬥的世界，動不動就要把全世界毀滅，然後在嚣嚣的鬧聲裡一直按動滑鼠發動攻擊，把自己當作是拯救世界的英雄。真是太好笑了。

雖然只是過去那邊看個幾分鐘，偶爾還是會冒出幾個真人影像的年輕人，跟大砲、機關、刀槍交互穿插，手腳靈活地不斷逃過一波又一波的槍林彈雨，遲鈍一些的不久遭背後追上來的武器鏢到，倒在地上鮮血直冒。

「真噁心。」妻子一看到這種畫面，趕緊摀住雙眼。

「這又不是真的死亡。」丈夫把畫面切換出去：「等下次再來看，這幾個還不是在這邊跑來跑去？是他們自己愛跑進來玩的。」

「如果沒把這些人抓回籠子裡，那他們不就要被打死好幾次？」

「不是跟妳說了，」丈夫有些不耐煩：「如果這是真的死亡，他們就不會在這裡了，這一切都是假的。」

「我只是覺得他們怪可憐的。」妻子一臉無辜：「就算被抓回籠子裡，如果他們家人沒有領回去照顧，不就一輩子關在那邊？」

「不要再自尋煩惱了。每個人照顧自己的小孩就夠累了，哪裡有時間管那麼多。」

他們不時走來電腦前，探望一下兒子的動靜。有時候睡到一半，兩夫妻爬起來打開螢幕，發現兒子躺在屋前的長凳上打呼。「不曉得那邊有沒有賣棉被還是帳篷的，」妻子把滑鼠移到網路商店的位置，點了一下，仔細尋找裡面的商品，高興地拍手：「太好了！連這個都有在賣，而且現在還有特價，點數不用扣太多。」

幫兒子搭完帳篷、鋪好棉被，兩夫妻這才滿意地回自己房間。躺了快一個小時，兩人翻來覆去都沒睡著。「妳是不是又要過去看一下了？」丈夫問。

「那是你吧。」

「我們這樣算不算迷上電腦遊戲？」

快要睡去的丈夫喃喃自問的同時，他又看見恍恍惚惚的自己走向隔壁電腦前面，看了一下螢幕上兒子的身影，然後按下右鍵拉出不同的視窗，也看看其他空間發生什麼事，同時逛了幾個部落格，瀏覽幾篇文章，至於內容寫些什麼，在他睡去的那一刻就全部忘記了。

第二天早上，兩夫妻向老闆請了半天假，因為他們的兒子又不見了。這是他住進這邊以來第三次失蹤，前兩次在他突破門外的隱形防護罩跑出來時，兩夫妻有聽見電腦發出的警訊聲，他們馬上透過網路跟遊戲公司聯絡，不到十分鐘的時間，電腦傳來一陣清亮的軍樂聲，然後出現一個戰士威風騎馬的圖形，底下寫著「勝利」兩個字，接著跳回到他們熟悉的螢幕畫面，兒子已經站在小屋的前院裡，不停踐踏剛種好的花草，顯然很憤怒自己怎會又回來這邊，不停癟扭嘴形，聽不見他在說什麼。

「小夫，你就乖一點吧，下次看還要什麼，我們再想辦法給你。」

「他那屋子起碼是一般人的兩倍大，前後又有院子，有什麼不滿意的？」丈夫說。

不過這一次他大概是趁兩夫妻熟睡時跑了出去。一早起來，他們立刻從網路上發出求救訊息給遊戲公司，久久等不到回應，這才覺得事情沒有前兩次簡單。兩個小時後，遊戲公司的專員打電話來，說他們的兒子這次是有計畫逃走。

「根據我們的資料，過去這兩個禮拜，他和一個最近才闖進來的女人來往密切，是那女人帶他逃出去的。而且，」專員說：「就得到的消息研判，那女人厲害的程度遠超出我們的想像。」

「什麼意思？」丈夫問。

「到目前為止，這女人是所有闖進來的不速之客中，唯一沒有被武器鏢中的，我們觀察她除了身手靈活外，許多男人還會自動衝上來幫她擋刀擋槍，像她這麼厲害的角色，還是第一次遇見。」

「她家人呢？」妻子問：「總有一天她也會被打死吧？他們不想領她回去，這樣比較安全？」

「剛剛才跟她家裡連繫過，家裡只剩三個小孩。女人是這三個孩子的母親。」

「什麼？」丈夫提高聲音：「你是說我兒子被一個婦人拐走？」

「這方面我們會很快查清楚，請不要擔心。程式設計部門正加緊研發新的捕捉工具，只要逮到那女人，你們兒子很快就回到家了。」

三天後，兒子終於回到自己的住處。不過身形臉色顯得憔悴，看來在外面吃了不少苦頭，而且經常呆呆望著窗外，從網路商店送過去的食物飲料都擺在門口，動都沒動過，比之前關在籠子裡的樣子還要失魂落魄。

他們傳訊給遊戲公司，希望能提供過去這三天的追蹤紀錄，好讓他們明白兒子離家出走的這段時間，到底發生什麼事。公司專員先是支吾一陣，後來擋不住妻子的咄咄逼問，才告訴他們兒子跑出去的這三天，和那來路不明的女人一起遊歷了幾個時代的戰場與妖魔統治的領空，也到過仙界探險，兩人上天下地玩得很開心，當然也遭遇過三千多次各種暗器的攻擊，「為了保護那女人，你兒子表現得很勇敢，被打中五六次後，重新來過還是繼續守在她身邊。」

「什麼——」妻子的聲調一下子高了起來：「你是說，每個月我們付錢給你們當管理費，需要日常用品，還要另外到網路商店儲值，然後買了許多產品照顧他，你們竟然讓他隨隨便便跑出去，還讓他被打死過五六次？」

「那又不是我們願意的。」專員小聲地說：「而且他不是又活過來了？」

「我不管。」妻子說：「我要你們給我一個交代。」

兩夫妻花了一個晚上閱讀當初簽下的契約書，找不出有哪一條可以要對方負責賠償。「真是太便宜他們了。」丈夫生氣地說：「當初會買他們的帳，就是希望能幫我們顧好小孩，沒想到後來就這樣敷衍了事，太可惡了。」

「不會只有我們遇到這樣的問題吧？」妻子說：「要不要聯絡其他家屬？給他們壓力，他們才會當作一回事，不敢亂來。」

當天晚上，他們透過螢幕底下的對話框丟出訊息，很快就有家長回應，他們很早以前就想組一個自救會，把各戶人家遇到的問題綜整起來，大家商討一下有沒有什麼對策，彙整經驗後寫成備忘錄，以後碰到同樣狀況的家庭就知道要怎樣處理。

為了怕遊戲公司從網路上探查到他們的意見後，會想出對策來敷衍應付，家屬們決定約出來碰面，就實際狀況來談比較有效果，順便認識彼此。聯誼會那天兩夫妻都出席了，一開始大家的笑容有些僵硬，打招呼時不太敢正視對方，有的交談時像在講什麼不可告人的祕密，表情諱莫如深，椅子與椅子之間故意拉開一些，氣氛有些尷尬。沒多久一個家長站出來主動跟大家分享心得，說他加入會員半年多，鄰居也知道他們的兒子住在電腦遊戲裡，幾乎每天都會過來和他聊孩子教養的事，有時還教訓他的小孩說，人家的兒子在那邊多乖啊。

「說來不怕各位笑，後來那個小朋友跟他爸媽吵架，居然跟他們抱怨，如果有一天我也跑進電腦裡面，你們會像李伯伯那樣細心照顧我嗎？」說到這裡，許多人呵呵笑出聲來。這一笑氣氛輕鬆許多，大家漸漸地聊了開來。差不多每個家庭都有同樣的問題，只要有人把這陣子遭遇到的痛苦說出來，其他人就頻頻點頭，有的婦人還邊聽邊流淚。

聊到一半，會議廳的門打開，遊戲公司派了一個專員過來，站立在門邊咧出兩排牙齒，「對不起，打擾各位。」他懇請家屬給他一點時間。「我們真的有誠意幫大家解決問題，雖然做得還不夠好，」專員朝會議廳中間走去，向家屬深深一鞠躬，從公事包裡拿出預先準備好的紙板，把下午才剛拍板定案的優惠方案向大家宣布：每個家庭憑原來的儲值卡，只要輸入密碼，立刻會增值一萬個點數，而且網路商店那邊又開發出上百種商品，「歡迎家長們繼續選用，相信孩子會過得更幸福，也歡迎各位寶貴的意見能提供給我們，公司會儘快為大家解決問題。」

前排一個婦人馬上站起來：「上次不是跟你們講過，有一個到處誘拐別人小孩的女人？抓到沒有？」

「呃，謝謝這位女士的提醒。目前已經針對她開發出更厲害的捕捉器，馬上會交由各方玩家來執行，只要誰抓到她，就可以得到神祕寶物。請大家給我們一點時間。」

「那你們最好給她訂做一間超級堅固的牢房，把她監禁終生吧。」另一個媽媽舉手說：「你知道過去這一兩個禮拜，我有多擔心嗎？難道你們要賠償我的精神損失？」

話一說完，許多夫妻立刻交頭接耳，看來不少人有這方面的困擾。

「嗯，剛剛那個建議不錯。」專員抹去額上的汗，繼續解釋：「不過到目前為止，公司好像還沒有討論過怎麼處罰她的事，畢竟在電玩遊戲裡，把對方打死、勾引別人或夥同他人到處遊蕩應該不至於構成犯罪，就好像有人只是在腦子裡幻想自己幹了壞事，在法律上你也不能斷定這人有罪。」

「呵，你說那什麼話？如果你們公司不肯好好處理這件事，我們幹嘛還要付那麼多錢給你們？」

一個男人拍桌子罵道。

「說的沒錯。」底下一片附和之聲。

專員很快朝大廳各個角落點幾下頭，腰彎得更低了：「各位寶貴的意見，回去我會轉達給主管，相信很快會給大家一個滿意的答覆。」

那次聚會一直到晚上十點多才結束，許多家屬都意猶未盡，散會的時候有人提議看能不能再找個時間，可以的話，乾脆成立一個社團，定期整合大家的意見，再來向公司反映，必要時候也可以發布新聞給媒體，給公司製造壓力，避免大家的權益被他們各個擊破，甚至要求他們提供更多的服務。

「真是太好了。」回家的車上，妻子顯得很開心：「這種聚會早就要開始辦的，怎麼之前都沒人想到？」

「剛剛忘了提出來，」丈夫說：「應該建議大家下次都帶筆記型電腦過去，直接透過螢幕來比較每個小孩的生活條件差在哪裡，這樣要做改進比較快。」

「是啊。」妻子說：「還有那個誘拐人家兒子的女人，大家都恨得牙癢癢的，如果不儘早約束她，恐怕會出更大的亂子。」

「看來以後跑進去的女人只會愈來愈多，小夫也二十幾歲了，如果那邊也有不錯的女人，也許可以請遊戲公司幫他介紹一個。」

「這個想法不錯，省得他屋子裡待不住，又要亂跑出去。不過還是要請他們先調查一下身家背景，太難搞的就不要了。」

「那當然。」丈夫說。

兩夫妻一直聊到家門口，又想到許多不錯的點子，例如家屬之間可以商量、交換小孩居住的空間，這樣會更有變化。如果出國或工作忙時，不妨互相幫忙照顧。看來他們能幫兒子做的事可多著，雖然已經快十二點，精神仍然不錯。洗完澡上樓，電腦裡的兒子已經躺在沙發上睡去。他們怕吵醒他，輕輕關上房門，到樓下客廳看電視。新聞剛好播出一則沉迷電玩的大學生，終日泡在網咖裡，後來性情大變，跟家裡偷了好幾次錢，被爸媽發現，竟然拿菜刀砍殺親人的事件。

「嘖，嘖。」丈夫搖搖頭，拾起遙控器轉到別台的同時，抬頭張望了樓梯口一眼。

「還好我們小夫沒跟他一樣。」妻子說：「等一下上樓先記得儲值，看看網路商店有什麼新的產品，再幫他買個幾樣吧。」

得獎感言　壹通

人的欲望所至之處，往往能變現出人所希望看見的圖象（或假象）。天堂地獄、神佛諸魔……，這些元素在網路遊戲的世界裡，因為「虛擬」的強大力量，加上利益糾葛之後，產生更多令人皺眉或怪異的浮面現象。文中所寫的情節雖然荒誕，但對於這些人物內心的焦慮與無力感的捕捉，也許能帶給讀者一些些思考吧。若能與現實產生一點點連結，從而思索這些困境的出路，也許是當初我在創作時，最原本的初衷吧。

評審講評

美麗人生——評〈出不來的遊戲〉

李有成

〈出不來的遊戲〉的構想出於時下流行的網路遊戲：一對夫婦經網路公司告知，他們多日未見的兒子其實出現在網路遊戲中；透過網路公司所設計的「美麗人生」計畫，他們安排兒子住進「一間有院子的兩層樓小屋裡」，不僅從網路商店中為他添購民生與娛樂所需，而且不時打開電腦觀察兒子的生活起居情形。在發現兒子與一位育有三個孩子的少婦交往之後，他們不惜聯絡其他面臨相同遭遇的家屬成立自救會，向網路公司施加壓力，爭取更多權益。此後打開電腦了解孩子在網路世界的日常活動即成為這對夫婦的生活重心，他們也從此惑於網路遊戲所構築的美麗人生，並日漸遺忘現實世界中已經失蹤多時的孩子。這篇小說的題材緊扣現實脈動，勇於探討當下社會議題，整個敘事在凸顯倫理親情如何為虛擬世界所異化，迫使我們重新思考網路世代的人倫與人際關係。小說情節布局詭譎，奇思異想令人不寒而慄，在反諷中饒富警世涵義。小說的敘事過程不露鑿痕，水到渠成，自然流暢，作者不論在文字或感情方面堪稱控制得宜。這篇小說可說見證了科幻小說與現實人生的緊密關係，能夠成為每位評審的首選顯非偶然。

宅男戰爭

名次：二獎

烏奴奴

「我要占據你的心，你的靈魂和身體都是我的唷，不讓你有自由意志，不給你有太多選擇，因為你是我的親親寶貝……因為我是你的蘿莉女神……」

當呼喚獵食的音樂一響起，驚惶失措的人們便開始四處竄逃，家家戶戶門窗緊閉，來不及躲避的披薩外送員，馬上被四面八方飢渴的野獸們包圍，逼到牆角，無路可退。

野獸們清一色有著濃濃的黑眼圈、渙散的眼神，緊盯著獵物，嘴角上揚，露出幸福的微笑，喃喃唱著此刻正由擴音器放送的歌曲，漸漸朝獵物的方向邁進，接著張開牠們的大口，咬住獵物的脖子，吸吮……然後，施放出病毒，幾億隻肉眼看不到的奈米蟲鑽入傷口，隨著血液流竄……

不一會兒，外送披薩的少年失去了意識，當他再次站起身時，已經加入那群野獸的行列，漫無目的地尾隨而行，就這樣隨著歌曲的旋律節奏，與成群的宅男們在街頭上橫行，繼續尋找下一個獵物，邊走邊吟唱著：

「……逃吧，逃吧，不管你在哪裡，只要你還沒有消失，我就可以找到你，因為我是你的蘿莉女神……」

※ ※ ※

宅男族群的誕生並沒有一個確切的日期，但可約莫推算出是在西元兩千年初，起源地來自日本，僅僅於一年之間，宅男便以倍數增長，由日本蔓延至全世界大流行，宅世代正式來臨。為了迎合宅男市場，許多宅男專屬的科技商品出現，最為經典的便是第一位虛擬女歌手所發行的唱片，立刻造成宅男界的轟動，受歡迎的程度可說是一片難求。隨即，遊戲界也跟進，發明了第一款虛擬體感女友的遊戲，只要拿著專屬相機，虛擬女友就可以與宅男們在各大景點合照，跨世紀的科技發明成功誘發了數十萬宅男勇於走出戶外。

然而，秋葉原的一宗無差別街頭屠殺案引起了社會的恐慌，媒體輿論將宅男妖魔化，把宅男和變態化為等號，甚至還鼓吹消滅宅男、宅男去死的口號，讓宅男備受歧視。宅男們忍無可忍，在一位活躍於政論節目的正義名嘴主動登高一呼下，儼然成為他們的首領，他勇於歌頌宅男的偉大，並以身為阿宅為榮，宅男們受到感召，紛紛湧上街頭大遊行來抗議，癱瘓了整個市中心的交通。當權者覬覦宅男龐大的勢力，決定採取高壓政策，強制通過陽光青年法案，以提升工作生產力與穩定社會治安為名，打壓宅男為實，立法斷絕網際網路連線，壓碎所有動漫電玩光碟。

終於，宅男們不願再忍氣吞聲，決定站出來反撲，在美少女蘿莉的召喚下，百萬宅男反抗軍應聲而起，群起造反，瘋狂攻陷整個城市，霸占了一〇一大樓，反抗軍的首領得意洋洋地站在最高的頂端，插上一面巨大的「宅」字大旗，在眾家媒體的實況轉播下，正式宣告這棟位於市中心動脈的大樓，就是他們發號施令的總部據點。同時間，宅男們發出勝利的嘶吼聲，每個人像是發了狂似的，開始見人就咬，而被咬中的人彷彿被感染般，也同化成了阿宅一族，一瞬間，宅病毒肆虐，人人自危……

這是一種宅男病變嗎？還是一種宅男妄想症？又或者是集體意識被宅化？搞不好，是被宅星球的外星人附身？

總之，末日前的謠言眾說紛紜，科學家、醫學家、哲學家、政治家等各持不同的理論，在電視上大放厥詞，而陷入無政府狀態的小老百姓，只能自求多福。

後來，這個世界變成了怎麼樣？老實說，我不在乎，也不關心，就算此刻窗外正鳴放著腦殘的卡通歌曲，宅男們肆虐整個都市，倖存者被迫過著足不出戶的日子，那也不干我的事。反正我本來就不愛出門，只要固守好房裡的堡壘就好，在世界滅亡前的那一刻，如果還能繼續上網看BL漫畫的話，我就死而無憾了，就在我以為可以一直安享著這樣的太平日子時，一陣急促的響聲傳來……

「砰砰砰砰砰砰！」一張猙獰的臉就貼在窗面，對方拳頭毫不留情地往窗戶直敲，眼見玻璃表面開始出現裂痕。

難不成是那群死阿宅攻過來了嗎？今天就是我的末日？

不行，我不能就這樣坐以待斃！

一把除塵棍抄在手上，大不了就跟他們同歸於盡！

說時遲那時快，窗戶被敲出了一個大洞，接著，一個、兩個、三個人陸續爬進房來，我揮舞著手上的除塵棍，對方則動作一致地舉起拍立得相機朝我就是一陣閃光亂拍，雙方可笑的舉動在原地僵持了好一會兒，誰也不敢先越雷池一步，地上四散著拍立得的顯影照片，全是我要除塵棍對決的蠢樣，要不是氣氛太過緊張，不然我一定會笑到原地打滾。

「你們到底想幹嘛！」我再也無法忍受下去，率先打破沉默。

雖然人多勢眾，但成員的膽子卻異常地小，只聽得一個染髮辣妹高分貝地放聲尖叫，嚇得直躲在柱子後面，很是驚慌。終於，連她的夥伴都受不了了，癡肥的恐龍妹直接用圓潤渾厚的手掌捂住她的嘴，低聲道：「你這麼大聲，是想把大家都引來嗎？」

帶頭的少年大概覺得我沒有威脅，主動收起了相機，豎起雙手，企圖表現他的善意：「不好意思，我們以為你也被宅化了……我們沒有惡意，只是想借你這裡暫躲一下，要是被他們抓到，我們就玩完了。」

可惜我本來就不是什麼熱心助人的文青少女，平時對一切大小事物都很無感也沒同情心的我，遇上一群莫名其妙、來歷不明的人竟連轟他們出去的念頭都沒有，理由絕對是非常地膚淺，一點兒也不複雜，那就是他好帥，完全就是我的菜！

看著他俊美的臉孔，用無辜的大眼睛哀求著我，我就投降了。沒辦法，對於美型男，我一向沒有免疫能力，所以默許了他的要求，勉為其難讓三個不速之客暫時留下。

房間內頓時多了三個外人在，顯得有些狹小，近距離觀察他們，發現三人似乎有些格格不入。窩在角落邊的是那位面貌姣好、身材火辣又穿著清涼的辣妹，若隱若現的雙乳肯定吸引所有男人的第一眼目光，看起來沒什麼心機，只是很容易驚慌，只要外頭傳來一點雜音，就會以為宅男大軍要攻過來了，無反抗力的她除了尖叫和大哭之外，似乎沒有任何攻擊能力。

正坐在電腦桌前查詢的恐龍妹，則恰好與那位辣妹相反，體態臃腫、動作笨拙，有著不討喜的臉孔，不多話，個性陰沉，坦白說，我不喜歡她，總覺得她好像隱瞞了什麼事，聽其他人說，她的弟弟在一次外送披薩時，就沒有回來了，很有可能已經同化為宅男。為了救出弟弟，她不惜付出任何代價，抱著必死的決心，是以先前才厚顏跟我借筆電上網，好查詢宅民們的動態。

而在房間內忙東忙西、幫大家泡咖啡準備點心的，就是我最愛的美型男，瘦瘦高高的他有著一頭飄逸的波浪捲短髮、會放電的迷人雙眼，以及略帶稚氣的陽光笑容，雖然人長得帥，可惜卻是個頭腦簡單的草包，聽說拿拍立得當作武器的點子是他提議的。

「你該不會以為這樣的……武器……就可以打退那些死阿宅了吧？」

「咦，不行嗎？便利店的店員跟我說，阿宅最怕閃光了，所以這種超強力閃光燈相機最適合自保了，他只算我九五折，兩萬元還有找呢！」

「太天真了啦，這種推銷手法你也信，要是宅男這麼容易就被消滅的話，世界就不會大亂了啦。」看著美型男靦腆的笑容，竟不自覺地害羞起來，眼睛不敢直視的我也不忍心過於痛批。

初步了解，這三人之間並不熟識，彼此是在逃難的途中相遇才一起結伴同行。

「你們接下來有什麼打算？」

美型男和辣妹沒什麼主見，想了半天也沒有想出個答案，對他們來說，似乎只要活著不死就很滿足了。

「革命！」深藏不露的恐龍妹語出驚人。「我想過了，再這樣逃下去也不是辦法，該是我們反擊的時候了！」

「就憑我們？」辣妹一副避之唯恐不及的樣子，的確，以現在的陣容來看，與其說組成一個義勇抗宅軍，倒不如說是一支去死去死團還比較貼切，只有白白送死的份。

「對，我相信我們之所以殘存下來並不是沒有道理的，帥哥、美女、恐龍妹，以及腐女……」恐龍妹用手輪流指著眾人與自己，最後停在我的身上。

「唔……這有什麼關連性嗎？」看美型男抓頭耍笨的可愛模樣，真是一種享受。

「我知道你想說什麼，你想說，我們這四種人都是宅男最討厭的類型，最不想接近的族群。」我揚揚眉，我不排斥別人說我是腐女，其實腐女並沒什麼不好，絕大多數腐女的智商都比正常人高出許多，很多人把我們和宅男混為一談，那根本是錯誤的認知，基本上，不想出去跟不敢出去的層次是差很多的。

「等等……你這個邏輯不通，宅男不是都很愛正妹的嗎？我既然是美女，他們怎麼會對我不感興趣呢？」

「很簡單，因為在他們的心中，完美的女神形象是2D的卡通形象，而非三次元空間的真人。」恐龍妹提出自己的一套理論。

「難怪……我一直都交不到男朋友。」辣妹聽得直點頭，而少根筋的美型男更是很快就被說服，一派輕鬆地說道：「好像真的會成功欸！」

有了眾人的鼓舞，恐龍妹更是興奮地說得口沫橫飛：「沒錯，我已經擬好了全盤的計畫，首先，一定要先想辦法混進一〇一大樓，我調查過了，他們最喜愛的女神蘿莉就住在那裡。還記得每天傍晚放送的謎音聖歌嗎？我懷疑就是她用音波操控了大家的腦子，讓眾人失去心性……所以，只要消滅了她，大家就可以得救！」

「太酷了，原來，我們背負著拯救這個世界的使命。」美型男眼眶泛淚，有種說不出來的感動。在大家士氣都很高昂的時候，冷漠的腐女就是負責要專潑冷水，好澆醒過度樂觀的大家。「更正，是你們，沒有我。」

「你不跟我們一起嗎？」辣妹有些沮喪。

「加入我們嘛……人愈多力量愈大，我們也愈有勝算啊。」美型男也幫腔勸說。

「抱歉，你們的勇氣我很佩服，雖然是很莽撞又很不智的行動。不管怎麼說，祝你們好運！」為了一個天馬行空的推論，以及三個跟我沒關係的陌生人，實在沒有必要拿生命開玩笑，更何況，就算恐龍妹猜得沒錯，那個蘿莉女魔頭的藏身之處肯定戒備森嚴，豈是隨便的雜牌軍就可以混入呢？

恐龍妹彷彿早已料到我的反應，一點兒也不意外，她冷冷地笑道：「來不及了！五、四、三、二……」

不明白她盯著手錶倒數些什麼，早先在大家討論的時候，她就不時瞄著手錶，好像很在意時間。我隱約有種不祥的預感，就在恐龍妹數到一的時候，房門外傳來一群人急促的腳步聲。

「你做了什麼？」我氣急敗壞地揪著恐龍妹的衣領質問。

辣妹湊近房門的門孔看去，發現一群不理智的宅男就圍聚在門外，他們的指甲在門上抓啊抓啊，抓出了一條條長長的痕跡，四、五個粗魯的宅男索性直接用身體、用頭撞起門來。「不得了啦，外面有好多宅男。」

美型男又搬椅子、又抬櫃子來堵在門口，阻止他們闖入，但是宅男的攻勢凌厲，大家都知道拖延不了多久。

「置之死地而後生。我怎麼知道你們是否願意和我一起奮戰，只靠我一個人革命是不可能成功的，所以，只有讓這個安逸的小窩被攻占，你們才會覺悟，逃避是解決不了問題的，你們應該反過來感激我才對！」恐龍妹自作聰明的樣子頗為可憎。

聽完更是令人惱火，憑什麼她可以隨便決定別人的人生，我高高地舉起了拳頭，朝她的那顆豬頭揮去。

「要革命早就有犧牲的準備了，你可以選擇浪費時間痛毆我一頓，但必須要提醒你，你真正的敵人在外面，而不是我。」

我的拳頭在恐龍妹的鼻頭前停下，儘管不想承認，但是她說得對，現在不是搞內鬨的時候。「你真是個瘋子！」

「現在到底決定怎麼樣啦？」辣妹急得慌了手腳。

那還用說，當然是逃囉！我和恐龍妹不約而同下達逃亡的指令，大家輪流從窗外撤退，我則忙著搶救我的筆電，看著那些辛辛苦苦收藏的男男漫畫、海報即將付之一炬，心中很是不捨。

別了，我的最愛，如果我沒死的話，我一定會再回來的。

臨走前的最後一眼，那群該死的阿宅粗魯地拆下了整扇房門，一擁而入占據了我的房間。沒有多餘的時間繼續留戀，我縱身跳下二樓，幸好，美型男很體貼地一把抱住了我。然後，四個人狂奔在小巷中，有如不能見光的過街老鼠一般，不敢走在大馬路上，逢人就要閃躲。已經很久不曾外出的我實在無法適應烈日的光線與溫度，我幾乎忘了上次出門是什麼時候的事，只記得一樣是個又熱又悶的天氣，頭髮因不斷冒出的汗水一根一根黏在我的脖子、耳際與額頭上，打從心底的厭惡讓我討厭這個世界、討厭其他人類……

不知道要跑到何時何地的我們，直到轉進了死巷子裡才稍作歇息。

「呼呼呼……累死我了。」辣妹摸著酸痛的小腿，穿著高跟鞋的她竟然跑得最快，真是不可思議。

「終於甩開他們了……不過，繼續待在這條死巷好像不太妙。」美型男在巷口處張望警戒。

「對，一〇一才是我們最後的終點，而且最危險的地方往往也是最安全的地方。」恐龍妹信誓旦旦地說道。

「別傻了，就這樣去？你真以為宅男總部會門戶洞開，歡迎我們的到來嗎？那裡一定是重兵駐守，猶如銅牆鐵壁一般。」

恐龍妹認同我提出的質疑：「所以我們不能直接衝進去，必須找出那些宅男的弱點！大家快幫忙想想。」

「對齁，宅男最怕什麼哩？怕生？」

「怕麻煩？」

「怕停電？」

「怕二次元消失？」

靠著對宅男的刻板印象，美型男和辣妹輪流無厘頭地瞎猜，我和恐龍妹則是聽了直搖頭，都是沒什麼建設性的意見。

「唉，要是我們可以變成透明人，大搖大擺地走進去就好了。」傷腦筋的美型男拍著額頭。

「透明人、透明人……」辣妹邊碎碎念，邊瞄向不遠方大樓的電視牆，看著螢幕畫面正在秀出一系列卡通少女裝可愛的廣告，突發奇想：「有了，我有辦法，大家跟我來！」

「這就是你說的辦法？」看著自己穿著可笑誇張的碎花色和服，綁著紫紅色的腰帶，配上一雙高筒羅馬靴，實在不認為這是個好計策，儘管很不想配合，但辣妹堅持非要每個人都穿上才行，逼不得已只得暫時拋棄自己的自尊心。

「嗯，我們只要角色扮演成卡通美少女，就能騙到那群宅男。以前，我朋友很迷Cosplay，所以常來這家卡漫變裝店，不過那時只有少數幾家，自從宅男當道後，現在滿街都林立著卡漫周邊產品的商店。」辣妹顯然對自己的粉紅色娃娃洋裝很是滿意，在鏡子前一照再照。

恐龍妹似乎也認為值得一試，礙於體型的因素，沒太多衣服可選，只能選了最大號尺碼的黑色女僕裝，給辣妹審核：「這樣穿沒錯吧？」

最委屈的還是美型男，必須打扮成女生的模樣，只見他戴著一頭金色大波浪捲的假髮，穿著紅白色的騎士裝，有些尷尬。

「很好看嘛！不仔細看，還真以為你是個正妹哩！」辣妹幫美型男邊化妝，邊誇讚道。

好不容易幫眾人打理完畢，接下來，便是試驗時間了，大家決定先在大街上閒晃看看，如果真的有效，再衝進一〇一大樓也不遲。

眾人以辣妹為首，我殿後，一行人戰戰兢兢地模擬卡通人物怪異的動作走在信義路上，當時我真的覺得跟隨著這一群人，有種會喪命的感覺。幸好，沿途中雖然引來不少宅男們的好奇觀看，但奇妙的是，他們並沒有對我們發動攻擊，還很友善地對我們傻笑，就某種程度而言，他們還真是單純得可怕，無論如何，不得不承認Cosplay這招的確滿管用的。

沒多久，我們就到達一〇一大樓的門口，先前累積的信心讓我們毫不猶豫地就往大廳走去。才一進大廳，就發現四個角落分別射出女神蘿莉的立體雷射投影，看著她栩栩如生的動作與表情，難怪可以迷惑這麼多宅男。至於廳內負責保全的十數名宅男，則兩兩一組乘坐著電動車來回巡邏，當然，車上還不忘置放最新型筆電供他們上網玩樂，在沒有發狂前，他們看起來就像是無害的普通宅男。

「噓……就維持這樣穿過前面的閘門，我查過一〇一的建築結構，有一個祕密快速電梯可以直通頂樓，只要搭上了電梯，計畫就成功了一半。」恐龍妹壓低聲音對眾人解說。

閘門兩側沒有任何人看守，也沒有任何阻隔的障礙物，總覺得不太自然，宅男宅是宅，可不是個笨蛋，他們是社會的菁英份子，學歷高、薪水高、智商高，不只在各大企業公司擔任要職，甚至在國家研究院、奈米研發中心、中央科學研究院及國防部都位居高位，所以別小看了那些宅男工程師，這當中一定藏有什麼機關才對，只是警告的話語還來不及傳達，辣妹已經踏入閘門。

嗶嗶嗶嗶嗶……閘門兩端發出一道道紅外線雷射光束將辣妹困住，辣妹想後退抽身，沒想到手臂一碰到紅外線雷射光，就立即感到一陣灼熱感，原來高劑量的雷射光畫破了衣服，直傷皮肉，馬上起了好幾個水泡。

「好痛啊……」辣妹一個掙扎，又灼燒出好幾道傷口，痛得直流眼淚。

「別亂動，否則你會愈傷愈重！」

辣妹聽了我的勸告，乖乖地站在原地，不敢妄動，只能默默地任憑眼淚滑落臉頰。

接著，模擬蘿莉的電腦語音響起：「請說出通關密語，蘿莉最喜歡吃什麼果子哩，啾？」

被困住的辣妹動彈不得，不知道該怎麼辦才好，顯然大家對不感興趣的蘿莉根本一無所知。

「等等……我用我的筆電查查。」還好我隨身攜帶的筆電可以無線上網，能夠即時在網路查詢資料。

「拜託，請快點回答喔，蘿莉好餓了呢，快餵我、餵我！」溫柔的電腦語音開始變得不耐煩，催促聲愈發急促。

該死的網路偏偏又在關鍵時刻塞車，網路連線簡直比烏龜走路還慢，正跟時間賽跑的我們如今是分秒必爭。

終於，電腦語音下達了最後通牒：「請回答囉，否則人家要對你進行制裁了啦！」

「沒辦法，隨便答一個好了。」恐龍妹作出了最後的決定。

「蘋果！」辣妹衝口而出。

網頁也在這時秀出資訊，我連忙出聲更正：「不對，是和菓子！」

啪咻！才兩秒的時間，辣妹就被數萬道紅外線雷射光燒成了灰燼，連一絲頭髮都不留，眾人嚇呆了，連開口驚叫都還來不及反應，第一號犧牲者就在我們面前慘烈死去。

大家的心情都十分沉重，美型男緊握住拳頭，克制自己激動的情緒，恐龍妹則癱坐在地，嘴裡念念有詞，而我的臉上感到一陣濕潤，雙手擦了擦，才發現我竟然哭了，不曉得多久沒流過眼淚的我，此時眼眶竟不停地泛出淚水，原來，我也像那些俗氣的傻瓜一樣會感動、會傷心、會憤怒……沒有多餘的時間哀悼，再不儘速通關，那些巡邏的宅男一定會發現異狀，到時就更麻煩了。

有了第一次經驗，大家也開始有所警惕，由於不確定電腦語音會否再提問一樣的問題，所以這一回我們先溫習好了蘿莉的小檔案才闖關。

「請說出通關密語，蘿莉第三張專輯的主打歌是什麼呢，啾？」果然，電腦隨機發問，幸好，眾人早有準備，第一關才得以順利通過。

閘門之後是一個約莫容納三個人左右的狹小空間，並不寬敞，除了閘門那一面外，其他三面各設有一台電梯，從左至右掃視，牆上分別投影出護士蘿莉、水手服蘿莉以及比基尼蘿莉的造型，三人異口同聲地發問：「寶貝，你最想和哪一個蘿莉在一起呢？」

護士蘿莉翹起屁股，引誘道：「選我嘛……」

學生蘿莉扭動細腰，撒嬌道：「選我嘛……」

比基尼蘿莉酥胸半露，害羞道：「選我嘛……」

這就是阿宅夢想的世界嗎，所以才設計出這幾款萌死電梯？唉，真不曉得宅男的腦子裡都裝了些什麼。

「奇怪，怎麼會有三台電梯？資料上明明不是這樣……」恐龍妹不敢置信，畢竟不能再莽撞瞎猜下去了。

「你查的應該是宅男攻陷前的歷史資料，很有可能他們重新改造過了。」我拿出筆電查詢，果然印證了我的揣測，登錄資料的時間都年代已久。

「那怎麼辦？一人坐一台，總有一個是對的？」美型男果然是個大腦簡單的可愛傢伙。

「太冒險了，萬一又像剛才一樣有什麼陷阱……」心有餘悸的恐龍妹吞了一口口水，續道：「況且，即便倖存的一人到達頂樓，也不見得能夠通過之後的關卡，繼續無謀地闖下去，我們只會全數陣亡。」

「我們應該以宅男玩遊戲的邏輯來思考，假設這是一款模擬愛情的遊戲，你會追哪一個？」

「我的話，比較愛比基尼女郎，男人畢竟是視覺系的動物，一定鎖定在最清涼的美女身上。」美型男笑得異常燦爛。

「我怎麼覺得男人潛在就有變態的幻想因子，最希望征服護士、學生之類的角色……我弟弟就庫存很多這一類的色情A卡。」恐龍妹則以不屑的態度，嗤之一鼻。

「不！真正的宅男每種結局都要玩到，就算花再多的時間、哪怕要重複再多次相同的事件，他們也不會厭煩，因為對他們而言，這才是全破的真正定義。」

如果我的推論正確，那麼答案就是……

我、美型男和恐龍妹同時按下三面牆的電梯按鈕，按鈕在地上投影出一個圓圈，忽然間，地上隆起一小塊凸出物，正好就籠罩在三個圓圈的交集處，我用腳踏下那塊凸出物，瞬間，三面牆急速往下墜落。不對，是我們正飛快地往上竄升才對！原來，我們所站的地方就是一個透明電梯，那三面電梯牆只是營造的假象而已，真正的按鈕則藏在地板上，險險通過考驗的我們不免鬆了一口氣，誰知道選錯答案會不會噴出致命的毒氣。

電梯上升的速度很快，幾秒鐘的時間不及細看各樓層的配置，匆匆一瞥，約略可分為低樓層的電玩、卡通及漫畫展示中心、中樓層的研發實驗室和高樓層的機房管控區。

叮！電梯到達了最上層，出口接向一條環形鏤空的傳輸通道，圍繞著正中央的巨型透明球體順時針移動，猶如一個運轉的巨大行星。球內核心立有一比一真人大小的女神蘿莉模型，核心外緣設置正負兩極的金屬片，兩極分別連有粗大的光纖纜線，纜線交錯纏繞，由上蔓延而下，整棟一〇一大樓就像是一顆超大容量的網絡電池。

「太驚人了，竟然想到利用全世界最大、最重的風阻尼器來作為信號發射的基地台！不過，單憑這樣就能控制住百萬宅男的意志嗎？」恐龍妹忙著讚歎眼前的畫世代發明，絲毫沒留意到我懷疑她的目光。

是我多慮了嗎？一個平凡的恐龍妹何以懂得這麼多的專業知識？

不及多想，我們沿著傳輸通道繞行一圈，發現並無任何小路可以連結巨型球體，看來，只能徒手攀爬至巨球上，才能破壞掉這具女神蘿莉的外殼。我和美型男很辛苦地沿著纜線爬行，一回頭，發現恐龍妹沒有跟上，原來，她還站在傳輸通道上，沒有下來的意思。

正想出聲質問她怎麼一回事時，卻驚見恐龍妹身旁多了一個人影，定睛一看，那人竟是宅男反抗軍的首領。

恐龍妹大手一攤，橫擋在前：「我不會讓你再繼續錯下去了。」

反抗軍的首領冷笑了一下，和其他宅男不同，他仍保有自我意志與思想，可以自由對話。「親愛的姐姐，你根本阻止不了，蘿莉親衛軍已經出動了，他們很快就會趕到，趁現在投降還來得及！」

實在太令人震驚了！原來，恐龍妹一直要拯救的弟弟就是號召百萬宅男反抗軍的領導者！

「我多希望我的弟弟只是一個普通的披薩外送員，而不是一個破壞世界和平的大壞蛋！」

「哼，姐姐根本不知道我做了多麼了不起的事，我創造了宅男歷史的新一頁，看看這些人……」首領大手一揮，數十名宅男立即從電梯口衝出，包圍了整條環型通道。「他們為偉大的女神蘿莉效命，自願在血液裡植入奈米蟲，奈米蟲的觸角直接寄生在人體的脊髓，透過中樞神經的傳輸，直上傳到大腦。我們不再需要外借任何接收器來傳遞資訊，因為我們自己就是最好的接收器，有了基地台、有了接收器，經由無線光纖纜線的傳輸，如今，蘿莉女神就投射在我們的腦子裡，就算閉上眼睛，我們還是可以看見她美麗的倩影，就算四周喧囂，我們依然可以聆聽她美妙的聲音……她真正與我們同在，融為一體！」

「人真的可以變得這麼瘋狂嗎？為什麼這麼多人願意改造自己的身體來接收訊息呢？」美型男無法理解宅男執著的原因，小小聲問我。

「著迷與入魔只在一線之間，過分專注於某件事物反而會讓人迷失。就像數年前的I Phone手機一樣，如果那時I Phone手機是要植入使用者的手掌中，你覺得搶購的人會變少嗎？」

同時間，恐龍妹上前揪住首領，出其不意地反咬了他脖子一口，痛得他哇哇大叫。「什麼蘿莉女神，可笑極了！」

「可惡，冒犯女神蘿莉的人，絕不可原諒！」首領一聲令下，親衛軍群起撲倒了恐龍妹，一人一口咬噬她的身體，只聽得恐龍妹的叫聲淒厲，第二號犧牲者被宅男同化。

趁著上面一陣騷動，我和美型男趕緊抵達球體核心的兩端，打開透明防護罩，女神蘿莉的軀體就躺在其中。

「只要破壞了基地台，接收器再強也沒有用！」我和美型男分別抓住女神蘿莉的頭和腳，將她自球體核心搬出。

「快阻止他們！」首領發現了漏網之魚，指揮親衛軍發動攻擊。

親衛軍掏出了搖桿造型的雷射槍朝我們射來，就在一束雷射光快打中我時，美型男迅速把我撲下，力道之大，讓我們連同那個女神蘿莉的模型也都倒了下來。

「怎麼樣？你沒事吧？」美型男依舊不改溫柔體貼。

「嗯，謝謝你救了我……」

當女神蘿莉一離開球體核心、傾倒墜落到球面下時，首領與所有宅男不約而同張開他們的雙臂，盡力想要拯救他們最愛的女神，只可惜，那畢竟只是虛幻的投影，他們抱住的只有空氣，然後，一群人陸續從傳輸通道上墜落，一同為他們的女神殉葬。

我看著樓下密密麻麻的宅男們前仆後繼地倒下，所有宅男動作畫一地閉上了眼睛，像是作了一場最甜蜜的美夢，露出幸福的微笑。

「沒想到真的成功了？」我到現在還覺得很不真實。

「是啊……」除下假髮裝扮的美型男，面色異常蒼白。「不過，我好像中槍了……」

我忙扶起他，發現他背後染了一大片血漬。「……我不會讓你就這樣死去的。」我固執起來的時候，也很不可理喻。

我硬拖著美型男，將他放入球心之中，雖然沒能力挽救他的生命，但我卻能輸入他的形象，讓他的精神永生。我打開筆電，利用無線網路駭入主機系統，將女神蘿莉的資料全數刪除，重新建檔，塑造一個全新的精神領袖，在姓名的欄位上我輸入了正太，第三號犧牲者死後重生。

我環顧四周，沒有了宅男的騷擾，一○一大樓也算是個幽閉僻靜的空間，仔細想想，住在這裡好像是個不錯的點子，他們毀了我的家，現在賠我一個據點也不算太過分吧，或許我也可以試著建立腐女的理想國度……

大破宅男北部據點之後，意外地造成腐女族群的異軍突起，在美少年正太的號召之下，百萬腐女革命軍毅然決然地站上火線，決定與宅男一較高下。這是宅男戰爭史上的第一次慘敗，也是腐女戰爭史上的首度革命，雖然不是全面壓倒性的成功，卻也燃起了一絲勝利的希望。我很幸運參與了這場關鍵性的戰役，親自見證了這段歷史，雖然宅男已經棄守了一○一大樓，但敵營的基地台不只一個，他們還有八五摩天大樓、世華國際大樓等數個據點，這場宅男戰爭還有得打！

我知道，革命是條很漫長的道路，所以腐女們，站起來吧！在革命尚未成功之前，我們還要繼續努力！

革命宣言透過擴音器的放送，傳遍了整個都市，腐女們發出勝利的歡呼聲，發了狂似的見人就咬，而被咬中的人則加入了腐女的陣營……

成功，指日可待呀！

得獎感言　烏奴奴

這次題材的發想，主要是看到周遭愈來愈多的御宅族朋友們，讓我禁不住在想，要是有一天大家都變宅的話，那會怎麼樣？於是，源源不絕的想像畫面呈現在腦中，構思了一個這樣天馬行空的科幻故事。

在科幻小說的邏輯中，這絕對是一場長期抗戰，無論對作品中的主角而言，抑或對創作中的作者而言，都得歷經無數次的革命、失敗、再革命、又失敗，就靠那一絲希望，主角才有信心持續作戰，作者才有勇氣繼續筆耕，幸好，最終兩者都沒有放棄。

評審講評　陳克華

作者嫻熟地使用現代青少年次文化的幾個符號元素——宅男、辣妹、腐女、恐龍妹及美型男，安排一個通俗劇／電玩遊戲的陳腐情節（宅男群體被象徵流行文化的女神控制成為活死屍），通過「活人生吃」的荒謬戲碼，指控了媒體、網路及虛擬世界對人性的扭曲及操縱，求生存的革命換來的是另一個集團的霸凌和主宰，作者對人性（個人）與集團的對抗顯然是悲觀的，在各式標籤的底層，人類果然無法掙脫意識型態的宰制與集體主義的夢魘，在「人吃人」的輪迴裡永劫不得超生……

時間就是金錢

名次：三獎

陳浩基

立文站在大樓的入口處，再三確認地址後，仍猶豫該不該走進去。位於鬧市中的這幢大樓，和附近的大廈沒有多大的分別，就是在香港常見的一般商業中心。雖然名字上叫作「商業」中心，這些建築物裡除了辦公室外，還有不少醫務所、化驗室、美容院、財務公司，甚至各式各樣稀奇古怪的零售店。坐在管理處的年老管理員，早已見慣這些躊躇的臉孔，無論是到化驗所等報告的病人、到情趣用品店購買自慰用具的少年，抑或是陷入經濟困難到財務公司借貸的潦倒中年漢，管理員也見怪不怪。不過，立文並不是以上三者之一。

他想光顧的是四十二樓的「時間交易中心」。

「反正已來了，即管看看吧。」立文一咬牙，走進大堂，按下升降機的按鈕。高速升降機不用二十秒便把立文帶到四十二樓，銀白色的升降機門打開，一個窗明几淨、具有時代感裝潢的接待處映入眼簾。淡黃色的牆壁鑲著公司的標誌和名字，旁邊有多張淺棕色的沙發，有兩三位顧客正在等候著。有人神色自若輕鬆地看著雜誌，有人緊皺眉頭，直盯著掛在沙發對面的電子告示板。電子告示板下方有一扇玻璃門，可是門的上半部都是毛玻璃，沒法看到門後的樣子。

「歡迎光臨。請問有沒有預約？」接待處的女職員親切地說。她的樣子姣好，妝化得不濃，讓立文想起他苦苦追求中的同學美兒。

「沒、沒有。」立文結結巴巴地回答。

「那請等等，」女職員拿出一個平板電腦，遞給立文，「麻煩先生您填好資料後交給我，我們會安排交易顧問跟你洽談。今天客人不多，應該等十五分鐘便可以了。」

「呃，不好意思……」立文沒有接過電腦，他彷彿覺得接過便等於成立契約，到時不能退出便麻煩了。「我還未決定是否光顧……」

女職員再次亮出親切的笑容，說：「不打緊，先生。洽談是免費的，我們沒有任何隱瞞的收費。如果待會談過後，您覺得交易不划算，您可以放心離開。當然，您填寫的個人資料會留在我們的資料庫，我們有可能向您寄送宣傳物品，但我們不會把這些個人資料轉交第三者，一切依照保密條款進行。」

立文頓時放下心來。接過電腦，填好自己的姓名、年齡、性別、身分證號碼、個人聯絡方法等等後，接待處的小姐把一張印有號碼的紙片交給立文，請他坐在沙發等候。立文瞧了瞧紙片，上面印著816，他心想這天該不會有八百一十五人在他之前光顧，猜測這只是隨機分派的號碼。

等待的十五分鐘說長不長，說短也不短，立文拿起架子上的一本八卦雜誌，無聊地翻弄著。事實上，他對某女明星走光、某歌手跟某模特兒分手的消息沒有興趣，只是他不想呆呆地坐在沙發上作無意義的等候。

「叮咚。」電子告示板亮出816的字樣，下方的玻璃門自動打開。立文瞟了接待處的小姐一眼，對方微笑著點頭，示意立文進去。

立文走進玻璃門後，發覺面前是一條長長的走廊，兩旁有很多扇門，有的打開有的關上。每扇門上方也有一個跟門垂直的小電子告示牌，而在左前方第三扇門上面的牌子正好亮著「816」。

「馬立文先生？」立文剛走進房間，桌子後的男人便站起來，主動跟他握手。這個男人穿著筆挺的藍色西裝，架著金絲眼鏡，就像銀行的投資顧問，也有點像保險經紀。他招呼立文坐下，立文張望一下，房間裡只有一張白色的桌子和四、五張有扶手的辦公室椅子。對著房門的是一扇落地窗，陽光令房間充滿生氣。

「我姓王，是本公司的交易顧問。這是我的名片。」王顧問從胸口口袋掏出名片，恭敬地遞給立文。立文雖然已升讀大學，但也沒遇過這種情形，接過名片後不知道該放在桌上還是放進口袋。

「請問馬先生是想買還是賣？」王顧問微笑著問道，令立文措手不及。

「不好意思，其實我對你們公司、呃、的業務不大清楚。我只是看到廣告，說比起借貸，你們的服務更好。」立文雙手按著大腿，緊張地問：「廣告說我可以把我的『時間』賣給你們，換成金錢？」

王顧問莞爾一笑，說：「啊，對。剛才很抱歉，我應該詳細說明的。今天之前接洽的都是老主顧，我一時忘了。您說得沒錯，敝公司是從事時間買賣服務的。」

「我如何把時間賣給你們？」立文問。

「技術方面您不用擔心，我們有先進的儀器去處理。」王顧問從容地回答。

「不，我的意思是，我把時間賣給你們後，我會變成什麼樣子？假如我賣十年給你們，我會突然變老十歲嗎？還是說我的壽命會減少十年？我又怎麼知道自己餘下多長的壽命？」立文連珠砲發，一口氣把心底的疑問全數吐出。

王顧問先是一愣，接著噗嗤一笑，說：「馬先生，我們不是惡魔，不會把顧客的生命吸走的。我們買賣的是時間，就如同字面上那麼單純，僅此而已。」

立文以疑惑的表情看著王顧問，王顧問繼續說：「自從物理學家發現『時間子』這種干涉量子活動的粒子後，操縱時間子的技術漸漸應用到我們的社會上。可是，科幻電影中那些回到過去的時間旅行、或是令時間扭曲重複的做法都是虛構的，即使對時間子進行操作，我們也不能突破基本的物理定律。」

修讀商科的立文對這話題完全摸不著頭腦，王顧問察覺對方的表情，便說：「直接說結論的話，便是操縱時間子只影響一個人的意識罷了——當然談到意識和觀測便是另一個物理學問題。再簡單一點，如果我們買下一位顧客的一年時間，那個人在付出時間的一刻開始，他便會發現自己已身處一年之後。」

「那當中的一年他會消失嗎？如果他正在跟他人談話，對方會發覺他突然不見了？」

「不，剛才我也說過時間子影響的是意識。那個人仍擁有過去一年的記憶，一切如常，這一年他的行為也是他自己做出的。失去時間子對人沒有大影響，因為人類意識無法離開時間洪流……啊，說遠了。如果說有什麼分別的話，賣掉時間的人對失去時間期間感覺上有點不實在而已。」

「如果我賣一個月給你們，期間上課所學的會不會消失？」

「不會的，我之前說過，當中的記憶仍然保留嘛。」王顧問說：「對人類來說，過去的『時間』是沒有意義的，有意義的只是『回憶』。假如您賣一個月給我們，付清時間後你只會記得自己曾做過這決定，回憶中跟沒有賣是沒有分別的。一切如常。」

王顧問第二次強調「一切如常」，嘗試讓立文安心。

「馬先生需要資金作周轉嗎？」王顧問突然問道。

立文怔了一怔，回答道：「嗯……是的。不過不是很多，只要二萬元左右。」

「沒關係，敝公司的宗旨是服務為先，豐儉由人。」王顧問按動桌上的計算機，說：「馬先生是新顧客，所以我們能提供優惠兌換率，二萬港元只要四十二天四小時十二分……我給您算一個整數方便處理吧，四十二天兌二萬元。這價錢應該是同業中最好的了。」

四十二天，即是六星期。對立文來說時間剛好，因為兩個月後便是美兒的生日。立文需要這二萬元，就是為了追求系花林美兒。美兒裙下之臣大不乏人，為了突圍而出，立文決定買某義大利名牌包包當作禮物，加上一大束紅玫瑰，誓要在生日派對中奪得佳人芳心。

計畫似乎很圓滿，可是，立文對「賣掉自己的時間」仍有點不放心。

王顧問看穿立文的心情，問：「馬先生，剛才您在接待處等了多久？」

「十五分鐘。」立文答。

「試想想，如果您把那十五分鐘換成金錢，這不是個雙贏的結局嗎？反正那十五分鐘對你來說是無用之物，少體驗一下又沒有損失。」王顧問笑道。

的確如此——立文細想一下。時間反正也要過去，如果能換成金錢，不是件好事嗎？

「對了，你們除了買進時間外，還出售時間對不對？如果說賣掉時間讓人剎那間度過一段日子，那買時間的顧客會發生什麼事？」立文問道。

「顧客如果買下時間的話，便能夠在一段時間裡體驗較長的時間感覺。例如一位購買了一天的顧客，他可以讓一小時變得像一天那麼長。」

「那如果我買下一分鐘，便能在三秒跑完一百公尺嗎？」立文奇道。

「不，馬先生您誤會了，」王顧問笑說：「我剛才也說過，時間子只針對意識，像跑步這些受物理法則規限的事物是沒影響的。對顧客來說，只是感覺變長了。」

立文心想，也許考試前要臨時抱佛腳，買下兩三天用來溫習也不錯。

「我賣四十二天可以換二萬元，那二萬元可以買四十天嗎？」

「這個啊……」王顧問按動計算機，說：「同樣以新顧客的優惠兌換率，二萬元可以買……五十八分鐘三十二點六秒。」

「相差怎麼如此大啊！」立文訝異地說。

「除了買賣差額外，技術成本不同也是原因。」王顧問微笑著說。「馬先生有興趣購買時間嗎？」

「沒有！我只是好奇問問。」立文斬釘截鐵地說，心想哪個笨蛋會花上萬元來購買受物理法則規限的三十分鐘。

「那麼之前的……」王顧問再次按下計算機，顯示屏亮出42。

「四十二天兌二萬元嗎？我賣！」立文說。他已沒有遲疑，反正大不了失去六星期，損失有限。

「謝謝您，馬先生。」王顧問愉快地說。

王顧問花了幾分鐘，用電腦編輯電子合約，在立文簽名同意後，二人來到另一個房間。這房間中央有一台像X光機或核磁共振攝影機的機器，王顧問讓立文躺在上方，機器掃描一遍後，便請立文到旁邊的小房間。

「完成了。」王顧問說。

「這麼簡單便行了？」立文本來以為要注射某些藥物或植入某些零件。

「就是這麼簡單，機器只是跟影響您意識的時間子作出纏結……呃，或者說是給您登記好了。」王顧問放棄長篇大論，簡單作結。他打開桌上一個磚塊大小的紙盒，掏出一個打火機似的儀器。儀器上有一個小小的螢光幕，頂端有個紅色的按鈕。「這是『付時裝置』。從剛才您在合約上簽字開始，您有三天時間作緩衝期，當您按下這個紅色按鈕，我們的伺服器便會接收交易中訂下的四十二天時間。」

付時裝置上的螢幕有兩行，上面一行寫著「42天0小時0分」，下面一行正在倒數，時間是「2天23小時34分」。

「這是您的款項和收據。」王顧問把一束千元大鈔放在立文面前，說：「請您現在點算一下。我們跟多間銀行有業務往來，如果您需要進行轉帳或存款，我們亦能代勞。」

立文沒想過這麼容易便得到這筆錢。他一邊數著鈔票，一邊問：「如果我忘了按按鈕，會發生什麼事情？」

「沒什麼，只是時間一到便會自行接收。」王顧問答：「這按鈕只是方便顧客善用時間而已。」

立文暗忖，「善用時間」這四個字對他們這些顧客來說，有另一重的意義吧。

立文盯著這個像打火機的小裝置，已盯了兩天。

從時間交易中心回來的晚上，他幾乎已按下按鈕。可是，那股未知的不安讓他再次猶豫起來。到底會發生什麼事情呢？

看到倒數時間餘下二十三小時，躺在大學宿舍床上的立文突然鼓起勇氣，決定按下去。

「來吧！」

「卡」的一聲，立文壓下右手拇指，裝置上的時間倒數消失，變成「謝謝惠顧」四個字。

立文預想中驚天動地的異變，或是世界崩裂現實塌陷的情形，都沒有發生。

「這是什麼騙人的玩意嘛——」

當立文想說這句話時，卻發覺這句話在六星期前說過了。他挨在座椅，對著電腦，正漫無目的地瀏覽著。鍵盤旁豎著那個「付時裝置」，上面沒有顯示任何文字。

「慢著，我……付了四十二天啊？」立文猛然想起，自己付了四十二天，換取了二萬港元，可是他清楚記得交易完成後這一個多月的生活。一切都沒有特別，他仍是每天上學，在課堂打瞌睡，跟友人喧鬧，遇見美兒時借故親近一下。他還記得五天前作弄那個呆頭呆腦的情敵阿力，趁阿力在宿舍廚房煮泡麵時，偷偷把半杯沙糖倒進鍋子裡。

這段時間的記憶仍存在，就如王顧問所言，「有點不實在而已」。

「天底下竟然有這麼好康的事情！」立文拾起付時裝置，朗聲大笑。立文想到，只要用這方法，便可以跳過那些難熬的考試和測驗，更可以換成真金白銀，一舉兩得。

「太好了。」立文從書架上取下紙袋，檢查一下一星期前買下、用來當作禮物的名牌包包。

「嘿，追到美兒後，我再去賣個五、六十天，然後跟她去沖繩旅行，看她喜歡看的日落……」

立文躺臥在床，嘴角帶笑，思緒隨著妄想逐漸遠去。

一如立文所料，當美兒拆開他的禮物時，在場的同學朋友都發出驚呼。

「天啊，這不是Bocelli的包包嗎！這要萬多元啊！」美兒身旁的女生大叫。

「馬立文，原來你這小子這麼有錢！」另一名男同學罵道。

「不啦，我也很窮啊，」立文把預先演練好的台詞說出：「不過如果能讓美兒高興，金錢什麼只是身外物罷了。」

在卡拉OK的房間裡，立文瞬間成為派對的目光焦點。美兒有點受寵若驚，但也大方得體地向立文道謝，臉頰上更帶著一抹紅霞。立文從在場的「敵人」的表情中知道，這一仗他勝利了。上萬元的包包加上玫瑰，配合剛才的發言，其他男生定必知難而退。美兒的姊妹們對立文另眼相看——或者該說是見錢眼開——有人借意親近，也有人慫恿他跟美兒合唱一曲。

在酒精和熱鬧的氣氛驅使下，眾人也沒有開始時那麼拘謹，有人提議玩「真心話大冒險」，立文便再次借勢表白愛意。一切就如立文預算中那麼順利，只是，在晚上十時二十三分，意料之外的事情發生了。

「鈴鈴鈴鈴鈴！」密集而響亮的火警鈴聲，像刀子般刺進各人的耳朵中。眾人如夢初醒，房門砰然打開，一個服務員焦急地嚷道：「客人請趕快離開！發生火警了！」

一時之間，卡拉OK裡亂成一團。立文不知道發生何事，只知道當他回過神來時，已站在大街上。黑色的濃煙從店子的門口冒出，二樓窗戶傳出隱約的火光，附近商店的店員和顧客紛紛走過來看個究竟。

「立文！美兒呢？」一位長髮的女同學問。

「她不是跟妳在一起嗎？」立文愕然。

「我以為你跟她一起啊！」

「美兒之前去了洗手間！」另一位女同學慌張地說。「她不會還在裡面吧？」

「不會吧……？」立文回頭瞪著黑煙後的店面，手腳繃緊，不知如何是好。

「快找人進去救她啊！」長髮女生快要哭出來。

「她……應該也聽到警鈴聲，逃出來吧？」立文期期艾艾地答。

正當眾人手足無措時，消防車趕至。五、六位消防員衝過來，長髮女生告訴消防隊長美兒的事情，對方便立即作出指示，調派人手進入火場救人。

「咦？那是誰？」一個服務員指著門口，只見一個男生抱著一位女生，蹣跚地從火場走出來。消防員和救護員連忙往前攙扶，立文看到，頓時感到血液倒流——那嬌小的女生是美兒，而救她出來的男生，是他最看不起的阿力。

無論計畫多完美，仍敵不過意外。立文作夢也沒想到會遇上火災，更沒想到火災發生時，美兒碰巧因為門鎖出問題被困洗手間，而阿力又巧合地成為拯救者。

就在醫院留院治療的那一個星期裡，美兒接受阿力的表白，跟他交往了。

「媽的……什麼英雄救美……」在阿力和美兒成為戀人的消息傳到宿舍的晚上，立文獨個兒在天台喝悶酒。花了萬多二萬塊精心策畫的部署，還是輸給最老梗的情節。立文心情難過，難過得想醉倒在天台，讓時間來撫平這傷口。

「時間……對啊，我為什麼要慢慢等？」

翌日早上，立文逃課，再次來到時間交易中心。

「馬先生，您滿意上次的服務嗎？」王顧問堆起笑容，可是立文沒有心情。

「我要賣時間，賣一個月……不，賣兩個月吧，反正我也沒心情溫習考試了。」

「哦，這次是以時間作單位嗎？沒問題，讓我算一下……」王顧問熟練地按下計算機，說：「兩個月，我算作六十天吧，能兌二萬零四百二十六港元。」

「上次四十天賣二萬元，這次多了一半，怎麼才增加四百元？」立文不滿地追問。

「馬先生，上次是新顧客優惠嘛，更何況時間兌換率會隨時間變動呢……」王顧問每次也覺得這句話有點彆扭，但這是實情。

「算了，二萬零四百便二萬零四百吧。我是不是簽了合約再去給機器照一下便行？」

「這次只簽合約便成了。」王顧問說：「我們系統已有您的時間子的資料，只要簽好合約，伺服器便會把訊息傳到您的付時裝置上。那個裝置仍在您手上嗎？」

「在，不過我放了在宿舍沒帶來。」

「那不要緊，您只要回去按按鈕便可以。緩衝期依然是三天。」

收到現金後，立文在早上十一時回到宿舍，直截了當按下那個紅色按鈕。

「唔，不過是早上十一時，讓我再睡一會兒嘛……」在立文懷中，一絲不掛的彩妮嗔道。

立文挨在床上，看著這個女生，內心百感交集。兩個月前賣時間換來二萬多元，打算胡亂揮霍發洩一下，想不到在街上碰到彩妮——在美兒生日派對上對立文「另眼相看」的女生之一。立文手中有閒錢，便每天跟彩妮吃吃喝喝，又到酒吧對飲，喝個酩酊大醉。結果某天醒來，立文發現自己跟彩妮衣衫不整睡在賓館床上，二人便胡裡胡塗開始交往。

撫摸著半睡中的彩妮的秀髮，立文感到五味雜陳。考試考得一塌糊塗倒不要緊，只是在試場看到坐在前面的阿力，立文便高興不起來。每次跟彩妮上床，他都不由得聯想阿力對美兒幹著相同的事，心裡就有氣。

「媽的……」立文伸手抓菸包。「咦，我什麼時候開始抽菸的？」

立文差點忘記，他在一個月前開始跟彩妮一起抽菸。淡淡的菸味，似乎能讓他的內心平靜下來。

轉眼間，立文已經大學畢業。「轉眼間」這形容詞尤其貼切，因為立文之後再光顧了時間交易中心五次，總共賣掉一年的時間，換來大約十萬元的報酬。每次他遇上煩惱，或在考試測驗寫論文口試面試之前，他也把時間賣掉，來得乾乾脆脆，一步跳過。寫論文時的辛苦、口試時被考官刁難、面試前的緊張，這些事件都如實記錄在立文的回憶中。他的格言是「長痛不如短痛，短痛不如無痛」，橫豎從結果而論，他沒有「真正的」逃避這些麻煩事。

畢業後，立文幸運地獲得著名的瑞安投資銀行聘請。作為經驗不足的菜鳥，立文經常被上級責備，而且他在辦公室中老是遇上跟他作對的同事。薪酬雖然不錯，但要晉升，恐怕得花上五年十年。

「今天那個臭三八又諸多挑剔，說我的報表填錯了，如果……喂，立文，你有沒有聽我說？」彩妮推了立文一把。二人相約午膳，可是甫坐下彩妮便一口氣數落她的每一位同事。彩妮在一家小公司當祕書，不過她志不在此。

「你什麼時候娶我，讓我當少奶奶？」彩妮抓著立文的手臂，質問道。

「天啊，我們才畢業一年多，就算結了婚，單靠我的收入也不夠我們生活啊？」

「人家不管！」彩妮軟硬兼施，說：「你在有名的瑞投工作，將來一定能當銀行家或投資主管嘛！人家美兒也快結婚了……」

「林美兒要結婚了？」立文手中的叉子差點掉下。「和阿力？」

「不然還有誰啊？」彩妮說：「阿力繼承父業，打理家族的麵店，聽說他修商科也是為了改善店子的經營環境。阿力家這麼困難，也願意娶美兒，你堂堂一位有前途的銀行家，怎麼不肯娶我……」

立文對彩妮之後所說的充耳不聞，滿腦子都是幾年前阿力在火場救出美兒的一幕。當年如果阿力不是走狗運，我現在便不用聽這個女人在囉囉嗦嗦——立文的怒意再一次升溫。他沒打算破壞阿力和美兒之間的關係，但他暗下決心，要得到龐大的財富，將來在同學會中向他們示威，讓美兒知道她做了錯誤的選擇，讓她後悔。

下班後，他逕自往時間交易中心走去。

「馬先生，別來無恙嘛？」王顧問仍是一身藍西裝，眼鏡倒換了一副銀框的。「我們很久沒見了。」

「王先生，我打算賣時間。」立文沒轉彎抹角，單刀直入地說道。

「好的，請問賣多少呢？」

「十年。」

一向沉著的王顧問也不由得怔住，身子微微前傾，說：「我沒聽錯吧？十年？」

「對，十年。必要時十五年也可以。」

「馬先生需要一筆鉅款來周轉嗎？」

「我計算好了，」立文十指互扣，把手掌放在桌上，「我在投資銀行工作，知道要賺錢便要有資金。只要有足夠的時間和資金，便能把本錢像滾雪球般滾大。如果我沒計算錯誤，我在十年後便能晉升至中級的管理層，若然趁早有一筆可以用作投資的本金，對我將來的發展有百利而無一害。」

王顧問揚起眉毛，笑道：「馬先生果然是銀行家的材料啊。您說得沒錯，如果您現在有一筆資金，便能改善將來的生活。」

「反正我這十年也要吃苦，能夠把時間換錢更是一石二鳥。」立文說：「十年，可以換多少錢？」

王顧問計算一下，答：「一百零四萬八千四百二十二元。」

「這足夠了，我拿來作私人投資便剛好。」

「不過馬先生，」王顧問說：「從來沒有客戶賣超過兩年時間的，您需要再考慮一下嗎？」

「不用，」立文聳聳肩，「試問我有什麼可以失去？」

王顧問欲言又止，找不到回答的詞句。

立文按下按鈕，已是十年前的往事。這十年間他利用那一百多萬作投資，在平均每年三成回報下，滾存了一千多萬元。加上他本來的工作薪酬、花紅和佣金，雖然他只是中級職員，財富已比同級的同事多上十倍。

然而，在金錢和權力掛帥的社會中，他的渴求並沒有停止。

他知道只要再十年，他便能晉身瑞投的管理層。

彩妮跟他結婚七年，變得愈來愈囉嗦，立文每次回家，只看到她像條豬一樣無所事事，差遣工人服侍自己。立文本來對她的感情不深，這時很自然地跟存心攀附的女下屬搭上。在他三十四歲那年，他偶然發覺彩妮紅杏出牆，於是憤然離婚。彩妮心有不甘，反控立文通姦在先，法官判彩妮勝訴，立文需要付贍養費。

「只要再十年……」就在離開法庭的那天，天空下著毛毛雨，立文站在法院外的階梯上，作了一個決定。

「王先生，我要再賣十年。」

王顧問再一次愣住。「馬先生，近年兌換率下跌，十年連五十萬也算不上了，您真的需要嗎？」

「我不是為錢，我要的是權力。」立文瞪著王顧問雙眼，說：「我不願意再待十年，才能晉升至管理層。我要即時的成果。」

王顧問抓抓漸變灰白的頭髮，說：「好吧，馬先生。您是我們少有清楚知道自己需要的客戶，我也不多說了。我現在去準備合約。」

然而這次立文的判斷錯了。四十四歲時他仍未晉升至高位，於是他再出售五年時間。五十歲的時候，立文成為瑞投的行政總裁兼合伙人之一，是香港金融界炙手可熱的人物。雜誌都報導他如何在年輕時投資有道，成為瑞投最年輕的合伙人。當上行政總裁的頭幾年，立文意氣風發，可是，四年後，因為歐洲一間銀行倒閉引起的連鎖反應令瑞投陷入危機，立文的錯誤指示更令他被輿論壓得喘不過氣來。為了逃避媒體的追訪，他再光顧時間交易中心。

「馬先生，」一頭花白的王顧問說：「其實這次您不用出售時間，只要到外國住個一年半載，不就可以嗎？」

「就算逃到外國又如何？這次全球的金融風暴，只怕五年後才平息。我每天看到新聞，知道消息，也是不得安眠啊……」

立文的猜測沒錯，五年後，金融市場再一次復甦，可是瑞投已被吞併。面臨退休之齡，立文也不再強求，收下瑞投被併購的賠償金，告別他打滾了「四十年」、猶如戰場的金融圈，生活歸於平淡。

「老爺，那我一小時後來接您。」

「嗯。」

立文坐在公園長椅，撐著拐杖，看著小孩子玩耍。年近古稀但膝下猶虛，立文在「退休」後才察覺家庭的重要。過去十年來他住在半山區的豪宅，家中有兩個工人和一個司機，可是，他的內心就是有一股說不出的落寞。

他感到自己的人生一點也不實在。

「馬立文？」

立文聽到有人呼喚自己的名字，回頭一看，只見一個白髮稀疏的老翁。

「你是？」立文對這個臉孔有依稀的印象。

「你果然是馬立文！我是阿力啊，你的大學同學阿力啊。」

往事一幕幕重現，不過立文對阿力已沒有怨懟——過了五十年，什麼兒女私情恩怨情仇也拋開了。

「咱們五十年沒見啦！」阿力高興地跟立文握著手。「我在報紙上看到你的新聞，你當年在金融圈真是叱吒風雲啊。」

立文苦笑一下。那段回憶就像是虛構的。

「美兒……你太太好嗎？」立文問。

「她五年前因病過世了。」阿力語調中有點失落。「不過她走得很安詳，兒孫也能在最後聚首一堂，她是笑著離開的。」

立文心中隱隱作痛。

「太爺爺！」一個小女孩走到他們跟前。「小瑩又拿了人家的蝴蝶結啦！」

「乖，太爺爺待會買新的給妳。」小女孩破涕為笑，回到孩子堆中繼續遊玩。

「你的曾孫女？」立文問。

「對，有點像美兒吧？」阿力邊說邊掏出手機，「我還有三個兒子五個孫兒兩個曾孫的照片，來來來，給你瞧瞧……」

卡嗒一聲，阿力口袋中的匙圈掉到地上。立文看到，不禁吃了一驚。

「你……你也光顧過時間交易中心？」匙圈繫著那個立文熟悉的裝置，只是按鈕是藍色的。

「喔，你也知道啊？」阿力拾起匙圈，感慨地說：「這只是當作紀念品罷，我可是靠它才能娶到美兒喔。」

「什麼？」立文差點想抓住阿力，要他說明一切。

「很久以前我收到時間交易中心的開幕宣傳單，一時好奇跑去看看。他們當時有試用優惠，五分鐘只賣八百元，很便宜。我又碰巧有點積蓄，便買了五分鐘備用。」

「你買時間？」立文詫異地說：「不是賣嗎？」

「唏，時間這麼寶貴，誰會拿來賣啊！」阿力大笑。「結果沒料到，這五分鐘變得如此重要。你記得那場火災吧，當時我便知道這五分鐘派上用場了。離開房間時我發現不見美兒，想到她應該在洗手間，我便衝去找她，怎料門鎖壞了，她不斷呼救。我按下按鈕，讓時間的感覺變長，細心思考打開門鎖的方法，救出她後，還可以看清楚火勢，冷靜地找出逃生路線。沒有這五分鐘，我跟她都葬身火海啦。」

立文瞠目結舌，沒想到當年阿力救出美兒不是湊巧，而是經過充分的考慮。

「後來我們交往，我跟她一起到中心購買時間。我帶她去赤柱灘欣賞日落，把日落的一瞬延長至三十分鐘，然後拿出戒指向她求婚，她還哭得一塌糊塗呢！」

立文從沒想過，購買時間可以這樣使用。

「你們……你們從來沒有出售時間換錢嗎？像美兒患病時，應該很辛苦吧？沒想過把時間縮減嗎？」

「人生就是有痛苦，才有喜樂嘛。」阿力眼泛淚光，但微笑著說：「我們還購下一天的時間，在最後時讓家人好好跟她告別。反正近年兌換率大跌，我想再多買幾天，好好陪她一下，但她說這輩子已夠幸福了，就讓時間正常流動吧。」

立文呆坐著，黯然地望著遠方。阿力的說話，幾乎全盤否定了立文的過去，令他不禁反思當年每一個決定是對還是錯。

「如果……」立文支吾地說：「如果有人告訴你，他為了金錢和逃避痛苦，把大半生的時間都賣掉，你……認為他很愚蠢嗎？」

「唔……」阿力緩緩答道：「我不會說是『愚蠢』，不過就像用一萬字的短篇小說來描寫一個人的一生一樣，有夠無趣罷了。」

得獎感言　**陳浩基**

說來慚愧，家中架上科幻小說不足十本（科普作品和超自然研究類的歪書倒有一堆），我讀過的科幻作品也不多，所以拙作獲評審青睞，在下感激之餘亦有點不好意思。不過，我自小喜歡看科幻電影，小時候家人常開「沒飯吃便吃高能綠豆片（Soylent Green）」這種乏人理解的科幻梗玩笑，或許對在下的創作有一點幫助。本來想多寫一點感想，但這兒限字二百令我勾起完稿前拚命在僅餘空間裡塞劇情刪字數的慘痛回憶真是五味雜陳啊。

評審講評　**陳曉林**

以時間作交易的情節，在科幻小說中已並不新鮮；以華文世界的科幻創作而言，張系國的短篇小說〈夜曲〉所敘述的「天長地久計」，即是專以虛擬時間作交易的設置，由此而鋪陳出相應的故事內容。

因此，本文作者述及的「時間交易中心」，以及買賣時間的客戶之類，基本上並非原創性概念；但作者利用這個已非新穎的概念作為橋段，抒寫出具有一個反諷和啟示意味的警世寓言，倒確頗見匠心。

馬立文出賣時間換取金錢，再利用金錢發展事業，幾度掙扎奮鬥，終於成為有權有勢者；但隨著時間流逝，到了生命的尾聲，回首前塵，茫然如夢，殆無幸福感可言。相對的，其同學以身邊閒錢買了五分鐘時間，機緣巧合下娶到了衷心戀慕的意中人，結果一生享受著平凡的幸福。

所謂買賣時間，涉及的其實只是當事人對時間的「意識」；然則，一賣一買，誰是愚人，孰為智者，豈非昭然若揭？但問題在於：阿力有閒錢購買備用的時間，馬立文最初卻窮到以賣時間來應急，所以才失去了摯愛的意中人。於是，要作智者，莫非也須有不虞匱乏的金錢條件？

這，或許意味著本篇作者著意鋪陳的警世寓言，亦仍有其弔詭之處。

愛刑

名次：佳作

翼走

1

我媽說過，她這輩子最倒楣的日子就是在廁所裡生下我的那天。

我也一樣。

那正好是我的成年生日，律師帶著一副「你死定了」的臉提醒我。我都忘了。或許因為曾經記得過，才會不小心玩過了頭，嗑多藥了跑到大街上吹風，不小心捅死倒楣路過的安。

這整件事，我沒有一點印象。但他們都說我殺了人，然後隨便塞給我一個律師。

我叫律師去找我幾年前捲了家裡的錢跑掉的老媽，說不準還能發現其實我離成年還差幾個小時。律師說沒用，用一堆話來唬我。他一定是欺負我沒怎麼念過書，什麼也不懂。

我猜我爸對法律比我懂，他總在盤算賣多少藥被抓到不會被槍斃，但賣久了也放棄了。我老爸出門說要砍死老媽和她的小白臉那天起，我已經好久沒有他的消息，不知道是不是被人砍死了。廢物一個。

而那個女人的爸爸，聽說是個醫生還是教授？肯定上下塞了不少錢，要整死我。所以這律師總是陰陽怪氣的。

該死的有錢人。

我見過安的照片，年紀和我差不多，一張很好騙的臉，長得倒很漂亮。要是我真對她幹過什麼倒也不吃虧，可我壓根就不記得！

憑什麼我要因為沒印象的事被槍斃！

律師說證據對我很不利，只要我認罪，態度好些，或許能判得輕些，以後可以爭取減刑。我知道他又在騙我，騙我認了罪，再把我槍斃。

我才不會認！我沒殺過人！

到了法庭，旁邊看熱鬧的人有不少，看來我在大街上捅人這事還挺轟動的。我想找到安的爸爸，看看他擺出怎麼樣一張臉，可那老頭沒到場，派了一個人替他說話。架子還真大。

所謂的證人開始登場了。

一個又一個人站出來，說親眼看見我如何如何一路跌跌撞撞跑著，砍著垃圾桶，最後抓住安捅死了她。我罵他們全是胡扯，全是被買通的，我一路上怎麼沒把他們全砍死了。

法官敲著槌子嚇唬我，我可不是嚇大的。

一群混蛋。

又有一些人上來，有些是我的對頭，有些曾經和我稱兄道弟的人，有些乾脆是我不認識的人。我見一個罵一個。一定那老頭付錢讓他們來潑我污水，最好他們多向那老頭詐些錢！

他們說我偷竊搶劫勒索販毒無惡不作，其實我只是偶爾順手拿點，嚇唬嚇唬人，賣點多餘的藥而已，他們倒把我說成了街上的頭號壞蛋。

一群混蛋。

他們開始播放一段錄影。路口的監視器不好好地拍車禍，卻拍下了我殺掉安的情景。

那是我第一次看見，我安靜下來。

安站在路口等著紅燈過去，我搖搖晃晃地從她身後走入鏡頭，似乎發出了什麼聲音讓她回了頭。她傻傻地看著我，我拿著刀望著她，慢慢走近了她。

然後，我猛地緊緊抱住她，足有半分鐘。血流了開來。我把帶血的刀扔在一旁，始終抱著她，一直等到有員警衝上來把我摁在地上。

那個人明顯不是我，雖然長得和我很像，但卻有什麼地方和我絕對不一樣。我說不清楚。

但我看著，卻的確似乎有一種古怪的感覺，好像懷裡還抱著個女人的身體，聞到了她的香味。只是錯覺。

我說這是個意外，責任不在我。不是嗎？要是在路上看到一個紅著眼睛拿著刀的人，機靈一點的人一定會躲得遠遠的。有錢人家的小姐，多半是被寵得有點傻了。

話一說完，後面看熱鬧的人鬧出動靜。我好像聽見有誰突然罵我不是人，是畜生。我毫不甘弱地回罵。誰管那法官連連敲槌子！

我罵著，眼前漸漸模糊了，呼吸困難。左右的人全是虛的影子，發出怪模怪樣的聲音，讓我心頭生火。滿身的汗，我難受極了，支持不住，在地上滾成一團。

我的藥癮，好死不死在這個時候犯了。

全怪那死老媽，懷我的時候都沒斷過藥，我一定是生出來就有癮。

人們指指點點。我擦著湧出來的眼淚和鼻涕，不想給他們看笑話，可止不住。

混蛋，這世上全是混蛋……

我被抬了出去，庭審中斷了。

在我等著第二次出庭的時候，那個當擺飾的律師又來找我了。

「現在的情況對你很不利。」

「屁話！」我吼，「大不了一命抵一命。你們就是想弄死我，我才不怕。」

「不過，我們還有別的辦法。」他又想來耍我了，「你知道嗎，最近正在研究用一種新的方法來處置重刑犯。當然，確定是對人體無害的，而且是合乎道德和人道的。我替你爭取到一個機會，只要你肯作為志願者進行測試，就可以免除刑罰。對你只有好處沒有壞處。」

「不會被槍斃？」我覺得不妨一聽，「我要怎麼做？」

他一本正經地說：「你要愛上安。」

「去你媽的。」我忍不住罵。

2

又是這個夢。我多麼希望一切從沒發生過，只是個夢。

在夢裡，我彷彿靈魂離體，飄在空中俯視著那兩個人——我最愛的安和那個畜生。在那個路口，他們對視著。

我驚恐地預感到將會發生什麼噩夢般的事。我想阻止他，像被綁住一樣動彈不得。我想叫安快跑，想求他住手，可發不出聲音。

我只是個無法操縱自己身體的可憐靈魂，眼睜睜看著他殺了安。

我淚流滿面地從夢裡醒來，洗臉時看著鏡子，驚覺得這一年裡，頭髮已經變得斑白。我完全變了，變得完全不像過去的我。

我總覺得安還活著，她應該還活著的，空氣裡總有她的味道、她的溫度，還有她笑著跑過時的風。

她是個天真純潔的女孩，從來沒有得不到的東西，不理解世上的醜惡。在她的眼裡，世上的一切都是愛著她，也是被她所愛的。

安大概不會理解，為什麼總有人會想要傷害別人，想要掠奪別人，想要去犯下令人髮指的罪行。是啊，無論用何等嚴刑峻法，都阻止不了人飛蛾撲火般地犯罪和殺戮。

我認為這是一種疾病，精神上的疾病。不懂熱愛生命、珍惜生命的人才會犯下令人髮指的罪行。通過手術，那些罪犯將學會愛，懂得生命的可貴。他們會洗心革面，不可能再犯罪。

我對別人都是這麼說的。

我向每一個來拜訪的人——記者、律師、法官、官員和醫生，介紹這種手術，希望能夠真正推行它。我告訴他們：「比起死刑和終生監禁，用手術治療罪犯不是更好嗎？」

一次通常的手術是在麻醉的情況下完成的。在靜脈中注射藥物促進大腦活動，同時用電極刺激大腦。然後對罪犯播放被害人的生活照，通過催眠手法把對被害人的感情牢牢刻進他們冷漠的心中。

手術完成後，罪犯不會對手術進程有任何記憶，就像做了一個記不清內容的夢。但在完全不自知的情況，他已經深深對被害人產生了強烈的情感。

重新做人，這很重要。

「我們一定能創造出一個充滿了愛，沒有罪惡的世界。」最後我說，「我認為，這就是這個手術的最終目的。」

他們同意我的看法。

其實，全是騙人的。

自願做了手術的重刑犯們，都會參加我主持的康復聚會，每周一次，交流自己的感受和煩惱。要經過一年的術後觀察，才能離開特別監獄。

犯人們信任我，把我當作最知心的朋友。可我看見的每一張臉都讓我想起那個畜生，我不能原諒他所做的事，同樣也不能原諒他們。

越是如此，我越是要裝出親切的笑臉，傾聽他們的煩惱。

「我殺了人，只為了搶幾百元錢……」老鼠抱頭痛哭，「他是全家的頂樑柱。再過幾天就是他五歲女兒的生日，他說好要替她買一個新的娃娃。我一想到，孩子一直在盼著爸爸出現，我就……」

「為什麼不試試送個娃娃給她，寄張賀卡，告訴他們你有多後悔。」我說。

「有用嗎？他們會收下嗎？」他眼睛一亮。

「當然。」我用肯定的語氣說。

寄出後幾天，老鼠的禮物被退了回來。收到了踩爛的娃娃和撕成碎片的賀卡。

看見他露出被打了一拳似的受傷表情，我不禁暗暗叫好。

每一次他們中的一個受到了懲罰，我就彷彿覺得是報復了那個畜生。

「我總是看見那些孩子亮晶晶的眼睛，他們盯著我，純潔得讓我心痛。我不敢閉眼。」阿豹滿眼血絲地說。他酒後駕車，撞進了一堆小學生裡。「我不是害怕什麼，而是覺得很心痛。我毀了多少個家，毀了多少人。他們才那麼小，有多好的未來啊！」

「出去以後，去他們家上炷香吧。」我說。

他連連點頭。

聽說後來，阿豹被那些家長打得很慘很慘。

「前幾天，我的男朋友來找過我，說哪怕我想殺他，他其實也是喜歡我的。他願意等我，和我結婚。真的結婚。」蝴蝶說。

「那不是很好嗎？」我說。

「可是，我沒有辦法愛上他。他不嫌棄我，但我忘不了以前那三個人……我愛他們，他們也曾經是那麼愛我，我不能對不起他們……很奇怪，對不對。我這樣的女人居然會有這種想法。」她落淚的樣子楚楚可憐。

她以結婚為名義，誘騙男人同居。等把男人的錢搞到手，她就下毒殺掉男人騙保險。一共殺了三個人。直到第四次，才被男人警覺地發現了。

「把妳真正的想法告訴他，拒絕他吧。」我說，「妳不愛他，而是愛著那死去的三個人。」

蝴蝶露出下定決心的神色，低下頭。「對，你說得沒錯。我不愛他，我會回絕他的。」要放棄眼看就要到手的幸福，非常不甘心吧。

奪去了別人的生命，奪去了別人幸福的權利。他們所經歷的一切痛苦，都是應該的。在經歷手術之前，他們沒有人的良心和道德，不是人！原本就是禽獸、是畜生。死刑也好，監禁也好，那是為人所犯的罪所設立的刑罰，對他們是沒有用的！哪怕殺了他們，他們也不會因此領悟自己的過錯。

只有讓他們成為人，讓他們得到人的良知，才會感覺到人的痛苦。只有知道生命的可貴，他們才不會動再去傷害別人的念頭。

這才是手術最終的目的。其他的無論什麼刑罰，都不能給予他們如此永久的懲罰，如此徹底的杜絕再犯。

重新做人，這很重要。

一年時間到了，我出獄了。

作為第一個被實施手術的人，我主持的康復聚會深受他們的歡迎，監獄方也希望我定期來和將來會做手術的犯人交流一下，說沒有人做得比我更好。

那是當然，他們只是看著被害人的照片做了一夢，醒來後突如其來地悔恨。而我清醒著，被推進手術室，看見的是醫生陰沉的臉。

「你殺了我的女兒。這是我特別為你準備的。」

我終於見到安的爸爸了。終於知道，那天沒有來法庭，他是在準備著什麼。

醫生本還沒有想過將這手術試用在人體，沒料到頭一次動這個念頭卻是因為他的女兒。他冒險地進行手術不是為了拯救什麼，只為了把對安的愛和對我的恨灌輸進我腦海。

他不希望我死去，希望我活著領受痛苦，領受和他同樣的痛苦。

他成功了。過去的我已經死了，完全消失不見了。

過去的我死在了那整整七天七夜裡，我神智清楚地看著安的日記，安的相冊，安的錄影。我看著安從還沒有我手臂長的嬰兒，長成和我差不多個頭的女孩，每一個瞬間都歷歷在目。她就像始終不曾離開過我的生命。

誰的愛也及不上我的深刻，同樣誰的恨也及不上我。我恨過去的自己——那個殺了安的畜生。想起她，是我在痛苦中唯一的慰藉，可只要一想到她已經不在世了，是我親手殺了她，就令我加倍的絕望。

甚至連時間也沖不淡這痛苦，哪怕只要是動了放下痛苦的念頭，我都覺得是對我所愛的安最大的侮辱。我這個殺人犯有什麼臉面去放下痛苦！

這是永遠逃離不了的刑獄。

我向所有人推銷著手術，騙他們說手術有多成功，我有多麼感覺良好、脫胎換骨。

我生怕醫生洗手不幹了。希望他只能把戲演下去，繼續給更多人做手術。這樣，他就沒有辦法抽身離開這個城市。

讓我能夠在出獄後第一時間找到醫生，然後殺掉他。

3

夜，我走在陌生的街上，安就像是我的導遊，我通過她的日記對每個轉角都瞭若指掌。安說，她不喜歡乘車駛過從小長大的街道，慢慢走過也總能看見新的風景。她在這裡餵過牆角的野貓，安慰過迷路的孩子，注視過路邊新發的白色野花，在樹底下仰望下雨的天空。一切都很好。

我很輕易地找到了安的家。我不認識這棟屋子，就算安來了可能也會認不出。在照片上，在安的記憶裡，這裡總是陽光明媚，她在花園裡灑水、餵魚、和小樹比身高。她也曾哭著鼻子清掃暴風雨後的殘花，被仍頑強倖存的花感動。她一直認為，土丘上盛開的花，是被她埋葬的小狗的精魂。

現在，那棟屋子死氣沉沉的，彷彿被抽掉了靈魂。花園裡的花敗落了，雜草叢生，池塘裡積著厚厚的綠藻。只有那棵在她出生時栽下的生日樹，枝繁葉茂。

我推開沒有上鎖的門，在廚房裡找到了刀，經過客廳、走廊，走上二樓，越過臥室……我匆匆的，生怕只要稍微停留，就會看見安在門廊邊望著花園、在廚房裡笨拙地忙碌、在……

我快被壓跨了，半閉著眼直接跑進書房。

醫生果然在那裡，坐在沒有燈的房間暗處。他猛地站起來，張開手望向我，眼睛裡一瞬間有過光亮，隨即熄滅了。

「原來是你。」他失望地喃喃，縮回椅子裡。

他大概是錯把我當成了安，以為聽見了安每天回家時跑上樓向他打招呼的腳步聲。

在手術時，他臉色猙獰，揮舞著手術刀切開我的頭皮，在我後頸插入電極，是操縱我生死的巨人。現在，他卻衰老弱小，不堪一擊。

我理解他，因為他給予了我相同的痛苦。他也理解我，只要他看見我，就能從我的白髮中、從我的眼神裡明白我。

所以他釋然地看著我拿刀逼近他。

我並不恨醫生，我只恨我自己。我可以自殺，讓自己從悔恨中解脫。

但醫生怎麼辦？他也同我一樣，不，有比我更深的痛苦。誰來讓他解脫？誰來讓他安息？

這是我的責任。我這個兇手的責任。

我願意殺了他，儘管我已經知道殺人是一件多痛苦的罪孽。我會殺了他，然後自殺。我要讓我們兩個人，都從失去至愛的悲傷中解放出來。

這是我真正意義上的第一次殺人。

我手抖得不行，一隻手按住他的肩膀，我也不清楚是想防止他掙扎，還是想讓我自己站穩。另一隻手舉起刀，不知該往哪裡落。

醫生抬起手，我嚇了一跳。他指了指自己胸口正中的一塊地方，無聲地為我指明了方向。又像是催促我。

我不可能再回到原本居住的街，也無法背負著如此深的罪孽繼續前進。我無處可去。我現在所做的，就是能拯救我最好的方法。但為什麼我就是沒有辦法下手？可笑，我明明就是個殺人犯！

忽然，我依稀聞到了一股香味，一種奇妙的溫暖湧上心頭。是安。即使我忘記了，我的體內還存在著與她擁抱時的記憶，在我剛要動手殺人的一刻被喚醒了。

我手上的刀不自覺跌落。刀插進地板的聲音，讓我差點以為刺進了他胸口，心一剎那抽緊了。他也猛地彈起身，目光炯炯地望著我。

地上的刀閃著寒光，我沒有了撿起它的勇氣。

我飛奔出去，逃走了。

我成天漫無目的地在街頭行走，路邊的每一株花都彷彿有安的影子，可永遠是靜靜的，不說一句話。

那麼為什麼不告訴我，我究竟該怎麼做？

我想，那天晚上，大概是安阻止了我。

我覺得安給了我一個答案，卻不知道如何去傾聽這個答案。

突然有人叫我的名字。我過了好一會兒，才認出他是曾經和我同個監獄的老鼠。

「我們大家都想找你參加聚會，可誰也找不到你。」他笑著說。

他看上去容光煥發，和監獄裡判若兩人。一個小女孩親密地牽著他的手，他的目光始終珍惜地注視著她，看上去是一對父女。

等老鼠把她送到學校，和我單獨聊天，我才知道，她就是被害者的女兒。

出來以後，他一次又一次地上門悔過，被罵過，被打過，被員警帶走過好多次。但他始終沒有放棄，終於敲開了那個家門，被那家人接納。

他說得很簡單，但我知道一定很不容易。

「現在，有的時候，那孩子會叫我爸爸。」他相當不好意思地說。

看得出，他很幸福。

我還從他那裡知道了其他人的事。阿豹為一個小學開校車，工資微薄，但他很快樂。他說，保證孩子平安是要緊的工作。每天天沒亮，他就起來檢查車子。

蝴蝶最終還是和那個她差點殺掉的男人結婚了。據說正是因為她幾次拒絕，才讓那個男人更加堅信她已經成了一個好人，努力追求她。

每個人都過得很好。我有點高興，又有點困惑。難道手術之後他們都不會痛苦和悔恨？

「大家都說，手術之後的那段日子是最難熬的，讓人都想死。多虧有你在，才能撐過去。」老鼠說。

我震驚了，含糊地說：「我可沒做什麼。」

「哪裡，是你鼓勵我們站起來，告訴我們應該找個目標去做些什麼。」

他激動了起來，「我們努力過，才體會到，做這個手術，目的並不是折磨我們，而是讓我們能學會……哎呀，我也不知道怎麼說。我現在看見別人有困難，我也會難受。幫助了別人，就會很開心，總想替別人做點力所能及的事，我以前從不會有這種感覺。這應該叫做……」

「重新做人。」我說。

與他道別後，我心很亂。回過神時，已經站在了安的家門口。

荒廢的花園在白天顯得更加破敗，讓人不忍。可我卻發現雜草堆裡有一株盛開的白花，不知為何強烈地吸引了我。我不自禁地走近，凝視荒草中的白花時，突然才真正聽懂了安所訴說的語言。

原來，安一直試圖都在告訴我，這個世界有多美好。

難道不是嗎？

我已經是和以前截然不同的人了。我所學會的不僅僅是痛苦和仇恨，還有安對這個世界的愛，還有我對安的愛。

答案就這麼簡單。

我開始拔起雜草，重整泥土，扶起傾倒的欄杆。

醫生走近了。聽見腳步聲，我抬頭，他眼神平靜。他沒有阻止我，也沒有說什麼。

風吹過，安的生日樹發出沙沙聲，代替了我們的語言。

4

和現在的年輕人提起死刑，他們大概只會想起課本上的幾行字。在經過巨大的爭議後，絕大多數的重刑犯已經改為接受手術。效果很好，再犯率幾乎是零。已經有人開始嘗試對於一些普通犯人實施這種手術。

這個世界正漸漸變得美好。

如果人類的犯罪是一種疾病，那麼只要擁有愛這種抗體的人占了大多數，這世上就不再會有罪惡。

這幾十年裡，我成為了醫生的學生，當上了教授，不遺餘力地推廣手術，並幫助人們克服術後的心理障礙，同時進行對人腦的研究。我越研究，越覺得人腦中的種種神奇，令人歎為觀止。就連醫生本人，都可能沒有真正把握手術中的一些反應。

醫生二十年前就走了，很安詳。因為他的卓越貢獻，獲得了醫學獎和和平獎。

我沒有結婚，我始終愛著安。我從不會孤單，有許多的孩子陪著我——那些獲得新生的犯人，以及我的學生，我也是個教授了。

現在我老了，快死了。

我很快就可以去見到安了。但在那之前，我覺得我這個老朽的身體還可以為人們做些什麼。

我在試驗室看著導管裡的藥流進身體，我這一輩子最後的一次試驗，同時進入深度催眠狀態。這藥會刺激我的大腦，通過催眠讓它以為我仍是一個年輕人。通過一系列複雜的變化，或許能讓身體恢復年輕人的活力。

因為這催眠只可能對人管用，無法對動物試驗，我也不可能拿別人的性命來冒險。就算沒效，我死了，電腦也會記錄下一切。

陷入死亡般的睡眠——或者說睡眠般的死亡之前，往事果然如走馬燈般歷歷浮現。我見到了安，她依然那麼漂亮美麗，站在那個路口，與我對視。

那是我殺死她時的情景，為什麼……

現在……

卻……

意識終結之前，我竟然能注意到，儀器上顯示的心跳停止了。

我想我是死了。

我猛地醒了，覺得快吐了，我的手上不見了皺紋，我果然變年輕了。但是，手臂上卻有點點的針孔。

我渾身像著火一樣，兩旁的街道在我眼睛裡歪斜扭曲著，來往的人避開我。是我出生長大的街道。我怎麼能忘記。這個連狗都不願出生的爛地方！

是幻覺？是陰間？

還是，我回到過去了？

一定是因為那個試驗。它的確起效了，我不知道它是怎麼發生的。並非是我的身體恢復了活力，而是將我的思維送回了年少時的軀體，同時我過去的身體也隨之死了。

我不知道我還能活多久，我可以感覺到身體裡還有另外一個意志，那是過去的我。他現在正神智不清，或許正是我能回到這個身體的原因，或許他醒來我就將死去。

過去的我的一切光怪陸離的想法衝擊著我的大腦，我的思考時斷時續，我剛剛到底幹了什麼？該死的，這混蛋一定是吸毒了。對了，我曾經是個毒蟲。那是多久前的事了。

我的腦子被毒品影響著，被過去的我影響著，混亂不堪。

我嘴裡罵著一些快忘光了的惡毒的話，時而這身體像我的，時而又不像我的。

不知為何，我跑了起來。我穿過總是捂緊口袋匆匆來往的人，穿過路邊衣著暴露的妓女，穿過牆角不懷好意的目光。

我覺得有什麼在追趕我，是我那混蛋老爸？他心情不好時就會拿著皮帶抽打我；又覺得是在追趕著什麼，是追趕那離家出走的老媽？我恨她沒帶上我一起逃走。

假的，全是假的！我在心中大叫，他們早就已經不在了。這樣一想，我很孤單、很害怕，這世上我再沒有別的親人了。

我該到哪裡去？盡頭，盡頭有什麼？

我越發停不住腳步，直到那個路口。

我的神志一下子清明了，安站在那裡，等待紅燈變綠。我才發現自己拿著刀。

原來是今天，原來我回到了那個寧可從沒發生過的日子。

我想離開，只要我什麼都不做，安就不會死了。

可眼看著交通燈在閃爍，我忍不住喊了她的名字。她略帶驚訝地轉過身，就像上萬個夜晚在夢中所見。

「有什麼事？」她好奇地走過來，「你哭什麼？」

我哭了嗎？我感覺不到。

安走近了，看見了我手裡的刀，露出畏懼的神色，退後半步。

「不要走！」我下意識地喊，抱住了安。我捨不得她離開。

「放開我！快放開我！」她掙扎著。

太短了，只有這麼一瞬間，我與她只能有這麼一瞬間的相遇，幾十年的思念只能寄於這一個擁抱。

我應該放開她，應該讓她快跑。過去的我快要醒來了，我覺得意識正在模糊，手止不住地顫抖。

我可以不用背上殺死她的罪。

哪怕，未來，我不能再幫助很多犯人，也許醫生的手術在別人身上不會那麼成功。我不在乎。只要她活著。

甚至，未來，我很有可能變成人渣毒蟲，遲早有一天橫屍街頭，或是被槍斃。也是我應得的。只要她活著。

「儘管妳不認識我，不曾交談過一句話。謝謝妳，是妳使我的生命充滿了愛。是妳教會了我這世上最重要的東西，愛。」我附耳對她說出我本以為我這一生都沒有機會說出的話：

「安，我愛妳。」

她安靜下來，難以置信地看著我，漸漸地露出迷離的眼神。我把染血的刀扔到一邊，感受著她的血沿著我的衣服流淌。

但是，只要我想像著不會愛上安的日子，我就近乎崩潰地孤單害怕。與別的什麼都無關，我只想愛上安。

安，我愛妳，所以，請讓我背上殺掉妳的罪。

我緊緊抱住了她的屍體，想要牢牢地記住，她身上的溫暖和香味。

得獎感言　翼走

沒獲得首獎，感覺很遺憾。

不過明年還有繼續參加比賽的機會，也不錯吶。

評審講評　陳克華

本篇文字是此次參賽作品中最流暢可讀的一篇，把一個原本無惡不做的小混混的口吻以及之後「良知覺醒」後的深情款款給寫活了。但科幻構想的貧弱是本篇的致命傷，使得一個原來有血有肉的故事顯得有些單薄。而用科學方式去激發一個人的道德良知在科幻故事裡也並不新鮮，而故事結尾的濫情矯作亦降低了故事的深度，並造成了讀者在閱讀上一定程度的混淆，實為一大敗筆，如果結尾能有更好的科幻構想來支撐，本篇當為前三名的佳作。

米和老米的那些事兒

名次：佳作

李維明

星期六，米照例去頤壽山莊。

這頤壽山莊是本地最好的一家養老院，以設施齊全先進、服務周到規範而著稱。米的父親老米幾年前住了進去。

開車出去沒多遠，就是一家名為豐盛的超市。

米把車停好，進去買了黑芝麻糊、薩其馬、燕麥片、銀耳、餅乾等等一大包食品。去收銀台結帳時，他想了想，又折回去，特地拿了一聽龍井和一瓶干紅。喝酒喝茶是父親的兩大愛好。

出了豐盛超市大門時，米遇到了剛要進來的趙大媽。

他們是鄰居，趙大媽還是看著米長大的。這是一位饒舌的老人。

趙大媽說：「好久沒見了，出差去嗎？去了什麼地方呀？」

米不想回答那麼具體，只是說：「是出差去的。」

趙大媽問：「今天是去養老院嗎？」

米說：「是。」

趙大媽說：「老人家可還康健？在那裡不寂寞？可吃得慣？說起來，我好幾年沒見到你父親了。以前他跟我家死鬼可是割頭不換頸的好朋友，呵呵，你父親老米可沒少到我家喝酒。」

米一一回答。

「那時，他常領著你到我家，他和我家死鬼下棋，唉，下得一身勁，他倆下棋可沒少吵過嘴。我家那死鬼爭強好勝，你爸也好不到哪兒去。有一次，他倆幾乎要動手了呢，你和我家寶兒在一旁都嚇哭了，你還記得嗎？」

「記得，記得。」米說，一邊看看天，那意思是不早了。

趙大媽可不理會，發其感嘆：「你爸不容易呀。太不容易了！」

米說：「是不容易。」

「你媽年紀輕輕走了，你爸一直未娶，屎一把尿一把的，把你拉扯大了，真不容易呀。唉，其實他那個條件，盯著他準備進你家門的女人可不少呢。我知道的，即有好幾個。你爸老米年輕時那個帥呀，一點也不比現在的明星差。說起來，還不全是為了你。」趙大媽一邊說，一邊感嘆。

米看著她，想聽她的下文。

「可你不應該把他送到養老院的呀。我曉得你忙，再忙也不該把他往那個地方送。你不知道，有不少鄰居背後議論你呢。說你這兒子不孝順。我還幫著你駁了他們好幾回呢。」趙大媽臉上變得嚴肅起來，「反正我已經和閨女和小子都說了，我不進養老院。死也要死在家裡！」

米說：「其實在那挺好的呀。有許多老人在一起，可以聊天，也可以下棋打牌玩的。在家裡多孤獨呀，子女是要上班的。趙大媽，其實你可以去看看，聽聽那裡老年人是怎麼評價的。」

米還想說說獨生子女面對夫妻雙方父母養老的難題，但他終於沒有說。這是可以寫成一篇論文的大題目。但現在說了也是白說，或許還會讓趙大媽的感慨更加滔滔不絕。

趙大媽氣呼呼地說：「再好我也不去！我也不會去那個鬼地方參觀的。」

米說：「那就不去吧。這也是自願的，覺得不合適，就不去吧。不過，我爸爸去頤壽山莊，可是他自己考察過後做的決定。」

趙大媽說：「那不是他真心的。你們不了解老年人心裡是怎麼想的。唉，米把你爸爸還接回來吧。」

父親或許不是真願意？那麼找個合適的時間問他一下。

米不想再談下去了，所以告辭。

「向你爸問好！就說那個鄰居趙翠英請他來玩。好酒好菜管夠。唉，只是沒有人陪他下棋了。」

「好的，我一定轉告。謝謝！」米並沒有回頭，只管自己朝前走去。

趙大媽看著米上車的背影，突然又想說什麼，她這人總是有說不完的話，但緊接著她就捂住了嘴巴，她眼睛裡滿是恐怖和驚慌。

她想跑，可兩腳根本就挪不動！

米的車已緩緩開出了停車場。

老米在看別人下棋。

看著，他就忍不住要說話，要發表見解。

「炮沉底，然後車迎頭，唉，馬還窩在家裡幹什麼，也給我上……」老米發表起見解沒完沒了，更了得的是，他竟然可以不看棋盤，一口氣逑說著把整盤棋下完，而且毫無疏漏。

過去有人曾經不服氣，說：「別光說不練，老米，咱倆下一盤！」

老米當然願意奉陪。下！結果一律都是老米贏，而且就是按照他口述的那個路子下的，一步也不差，真神！

老米打遍頤壽山莊無敵手，坐上了第一把交椅。

院裡老方的孫子是個下棋的神童，在省裡曾經拿過少年組冠軍。養老院裡一幫老棋迷特地安排他與老米比賽過一次，他們意在煞一下老米的威風，打擊一下他的傲氣。

強中更有強中手，這個道理老米怎麼就不明白了呢。

結果再次出乎大夥的意料，老米四比一贏了神童。據老米後來講，是不想讓娃娃輸得太難堪，所以那一盤輸掉的棋是他讓的。

即使這樣，那娃娃已經是受不了了，他回到奶奶老方的房間裡哭得一塌糊塗，就是不肯出來見人。只到夜幕降臨，他才偷偷走出了頤壽山莊，但從此他再也不來了。

為這事，老方氣得不行，並且一直不願意理睬老米。

其實老米剛進頤壽山莊時，他下棋是中等的技術，當時院裡能打敗他的有好幾個人。何以有了這樣的進步？這在那些不無幾分嫉妒的棋友們心目中是一個費解的謎。也有人問過老米，但他笑而不語。

從此沒有人再願意與老米下棋。因為下了幾次之後，就知道自己和人家遠不是一個檔次，那麼何必自取其辱呢。

沒有對手的英雄是孤獨的。

於是，淪為高手的老米只有待在一旁看的份兒了。

看到別人的昏招，他便忍不住要說個一二，點破迷津。這是件吃力不討好的事。被指點者覺得有損面子，畢竟不是靠自己獨立走贏的，心理上總是有幾分不爽，不舒服；輸棋者則更是氣得不行，勝券在握的一盤棋就這麼被你老米給攪了。

此刻，就在老米酣暢淋漓述說著自己戰略和戰術時，已經轉為劣勢的老張繃著臉說：「老米，你懂不懂看棋的規矩？」

老米說：「不懂，看棋還有什麼規矩？下棋的規矩我倒是全知道。」

「你是真不懂還是假不懂？」

「不懂就是不懂！」

老張說：「你裝糊塗，我也要告訴你。觀棋不語真君子，河邊無青草，餓死多嘴驢。這就是咱們中國人看棋的規矩。」

老米問：「你這是什麼意思？」

老張說：「意思很清楚了，還用得著解釋嗎？」

「我想聽聽你的解釋。」

「沒那閒功夫，你願意裝糊塗，就待在一旁去慢慢琢磨吧。我還要下棋。」

老米真的待一旁去了。

幾分鐘後，老米問：「我說話了，你的意思是說我不是君子？」

老張說：「豈止不是君子。」

「那你還罵我是驢?!」

眾人一起笑了起來。

老米怒睜雙眼，大聲問：「笑，有什麼好笑的？」

大家笑得更甚。有一個老漢捂著肚子，一個勁喊：「肚子痛！肚子痛死啦！老米這老傢伙可真逗！」

老米轉過頭仍問那下棋的老張，「問你呢，你憑什麼要罵人？」

老張有些害怕地說：「我沒有罵你，只是把這個規矩說給你聽。」

老米說：「我看你們下棋了，我也說話了，棋盤上這楚河漢界邊上確實也沒有青草，你罵人是抵賴不掉的。我這個推斷是嚴謹的。」

眾人再次憋不住笑。

老張不想招惹老米，因為他發現對方眼神裡那種執著認真有些異樣，於是只管低下頭來下自己的棋。他想老米如果不再插嘴，這盤棋或許還有轉機。

但老米不放過他，說：「你必須為你的錯誤向我道歉。你得說對不起。」

老張火氣終於上來了，說：「不可能的事！門都沒有！我沒有做錯任何事情。你們這些人，可以替我做個證。」

看棋的人中有幾個出來勸二人，都說這是小事一樁，犯不著生氣。

「我可不管你什麼門不門的，你必須向我道歉，說你罵人不對，說你錯了。」老米又轉身指著勸他的那幾位，「你們不講原則，是在和稀泥。」

幾位想勸的人緘口不語了。

老張氣呼呼地站起身，把棋盤用力推開，一盤棋子嘩啦啦散落在地上。老米愣住了，一時不知該說什麼才好。

老張用手指著老米的鼻子，說：「你以為你是誰?!」

老米說：「我就是老米，是今天挨了你罵的老米，堅持要讓你道歉的老米，如果你不道歉，我現在就宣布與你絕交，從此不再來往。」

老張說：「那就絕交吧，別的什麼也不要說了。」

老米斬釘截鐵地說：「絕交！」

米就是這時走進養老院的。

他問清了緣由，勸過了父親，又悄悄去向老張道了歉。老張餘怒未息，並不願意搭理米。老小孩，老小孩，這話真的不假，米想到這，也就不多話了。他低了頭把散落在地的棋子一個一個撿了起來。

米陪著父親在院裡的小路走。

路的兩邊是鬱鬱蔥蔥的法國梧桐，樹後是有著茵茵綠草的花圃。綠草如毯，各色花兒散出濃郁的香。

路的盡頭有一人造小湖。

湖水清澈，水中有魚作逍遙游。幾隻水鳥掠過水面，試圖捕食水中的魚，湖水有漣漪泛起，又一圈圈蕩開了。

老米年逾八十，但走路時仍然富有彈性，米看了不由暗暗感嘆。

米輕聲問：「父親身體還好嗎？」

父親轉過頭，看著米，笑了，他拍拍胸脯，問：「你看看我這身體有問題嗎？」

是呀，父親的身體似乎是強壯了許多，入院前小毛小病不斷，可現在卻很長時間沒有病患的困擾了。想到這，米猜測，這或許與心境改善有關？這裡老年朋友多，可以聊天，可以下棋打牌，不似家裡孤身一人，孤單也是會生病的呀。

想到這，米也笑了，說：「爸爸現在這個身體，比我還棒呀。」

「至少不會比你差太多吧。」老米上下打量了兒子一眼。

「這裡環境真好，我老了也想來這裡，到時我們父子倆就住在一起吧。」米笑著摟住了父親的肩膀，「那時我就可以天天陪你了。」

父親大笑，說：「小子，你現在就不思進取了？另外你數學是怎麼學的？等你老了，我是多大了？呵呵，怕是早變成一股煙從大煙囪裡鑽出去了吧。」

米正色道：「爸爸怎麼沒有自信？我對你可是有信心的喲。」

「有自信。好，我等著你！現在你的任務是把工作做好，把家庭照顧好，把我的孫子培養成才。我唯讀了中專，你上了大學，咱家的孫子爭取讀個博士，少說也得是個碩士吧。」老米握住了米伸過來的手，用力搖了搖。

「我會努力的。」米感受到了父親那手上的力度，他也有些用了力氣算是回應。當然，得有所保留，父親畢竟是一老人了。米對父親這種觀點不是很贊成，這種學歷的遞進說也會給孩子增加很大的壓力。

「下棋，其實輸贏並不重要，就是玩玩，一種消遣，你說是不是？」米斟酌著話，想與父親說說老張的事。

老米笑了，說：「消遣的功用？這種說法也對，也不對，至少是不完全。我更多的是把這種運動視作對自己思維能力的一種訓練。」

米說：「張伯，其實是個挺不錯的人。」

老米說：「老張，人不錯，但這並不代表他今天沒有錯。一個人做了一輩子好事，但殺了人照樣也得判他極刑。」

米說：「爸，這不大好比。」

老米仍是認真，說：「我以為我的比喻沒有不恰當之處。」

米笑了笑，不說了，他知道父親較真的脾氣。這個脾氣害得老人家仕途一直不順，據說中年時有一次就要提正處級了，但因為看不慣局座的兒子在單位裡呼風喚雨，說了幾句不平的意見。這意見經過變形輾轉傳到了局座耳裡，原來已鐵定了提拔的事，便徹底黃了。老米在家每說到這件事，就要大發感慨。不過，他強調自己一點也不後悔，因為做人就要像個人的樣子。

米看著老米，心裡說想不到他老了還是不改。

江山易改，本性難移，性格決定命運，這些話和著父親的許多往事從米的記憶深處油然浮起。

父子倆上樓。樓的一側是房間，另一側則是落地大玻璃窗。米走在廊道上，忍不住又看窗外絕佳的景致。

父親在四〇三房間門前站住，用鑰匙開了房門。

兩人走了進去。

整潔的房間，床上的被子疊成了有稜有角的「豆腐」塊兒——是服務人員的活兒，就像軍人疊的那樣。寫字桌旁是書櫥，那裡放滿了書。父親一生愛書，到了養老院也是如此。米常根據他開的單子替他去書店採買。不過，近來這樣的採買似乎是少到了沒有，米腦子裡也曾有過疑問，但想想也釋然了，這麼大年紀還看那麼多書幹嗎？

老米回過頭看了看米，問：「喝水嗎？要喝就自己倒吧。茶罐裡有上好的新茶。正宗的西湖龍井。還是你上次帶來的，可我現在已不喝茶了，只是用來招待來訪的客人。當然，你不能算作客人了。」

米笑道：「我現在不喝。要喝會自己倒的。不過，爸爸還是多喝些茶好，這有降血脂的功效。我記得您的血脂偏高了。」

父親說：「那是過去的事了，現在我血脂早已正常了。這裡飲食很注重均衡，當然我也一直注意養身之道。」

「正常了，這就好。」米把拎在手上的塑膠袋放在桌子上，然後坐了下來，老米看了看那麼一包新買的物品，說：「咦，又買了這麼多，上次不是說了嗎，讓你不要買了。」

米說：「不多，就你喜歡的幾樣。」

「還不多？莫不是要把那家超市搬來？」老米用一個手指在那個大袋子上敲了敲，「你帶回去。下次，我如果需要什麼，會列出單子讓你買的。」

米堅持說：「行，我記住了。這次買的，就留下吧。總不能讓我再帶回去吧。」

老米沉吟了片刻，說：「那下不為例。」

「好的，下不為例。」米笑了。

兩人接著談。

米問的無非是父親身體、飲食和活動方面的話題；父親問米的則是公司裡的經營和孫子的情況。媳婦的事，他也很得體地問了幾句。

老生常談，近於程式化了的問題。幾乎每次見面都是這麼談的。沒辦法，還能談些什麼呢？嘮叨與聽嘮叨也是老人的一種需求呀。父親說時，米一直笑咪咪地在聽，沒有半點不耐煩的表情。

例行公事一樣，終於談完了所有話題。

米感到無話可說了。

他站起來向父親告辭，父親也隨之站起了身。

「下個周末，我再來看您。爸爸，您先休息一會吧。有事一定別忘了打我的手機。哦，對了，還有張伯的事，不必太在意了。」米走了幾步，又停下來看了看手錶。

父親在他身後，突然說：「你今後不必來了。」

父親的語氣有些意外的冷。

米驚詫地轉身看著父親問：「爸爸，怎麼了？我不明白，為什麼？是我有什麼地方做得不好嗎？您說，我一定會改的。如果需要我再用更多的時間陪您，我一定會儘量滿足您的需求。您知道，我畢竟還在工作。」

老米淡淡地說：「不，你做得很好。不存在什麼不好的地方。」

米問：「那為什麼？」

老米眼眼看著窗外，說：「一年前多發生了一件事，我想現在可以和你說了。」

米看著父親，有些吃驚地問：「一年前的事，什麼事？」

老米說：「你真的父親老米已經死了，我是一個冒名頂替者，不過，你別怕，我是合法的頂替者。」

米驚愕地看著老米，說：「爸爸，你在開玩笑？」

老米笑道：「你看我像是在開玩笑嗎？」

米上下打量了老米，搖搖頭，說：「那您是……」

老米說：「實話告訴你吧，我只是一個機器人，MX-II型高仿真機器人，德爾公司的第二代產品。」

原來真老米已經去了天國。去世前半年他悄悄去機器人公司訂製了機器人老米，並與公司簽了一份為期一年的合同，由機器人老米在他去世後悄悄住進養老院裡接替了他（這個祕密只有頤壽山莊的高層管理人員知道）。那時米的公司正遭遇許多麻煩，他國內國外飛來飛去，忙得焦頭爛額，有兩個多月沒到養老院來。父親老米不想讓兒子因為自己的驟然去世而過度傷心。他希望一年的過渡期後，兒子米可以接受他死亡的現實。

很簡單，這就是老米的用意。可憐天下父母心，自己就要去另外一個世界，但仍然心裡牽掛著自己的孩子。

米問：「那您現在……」

「放心，關於您父親的事，公司將會同養老院與你進行一次性交接。至於我，已經完全履行了合同中相關條款規定的義務。另外，合同截止時間就是今天，從某種意義上說，我已經不是老米了。」機器人老米從抽屜裡取出一封信遞給了米，「信裡有詳細的說明，看了信，你就會明白一切的。另外請儘快去城郊神仙山公墓吧，你的父親葬在B區三十三排四號。墓地是按照你父親要求做的。」

米粗略地看了那封信，說：「我會儘快去的，也很快會辦妥有關手續。真的是太謝謝您了！」

「不必說謝了。我只不過是按合同條款履行了義務，而且公司也是收費的。這一點合同中規定都很明確，以免引起不必要的爭議。再見，米！不過，我們再見面的概率也是極低了。我回到公司即將做整形處理。」機器人看了看錶，「另外所有關於你父親的相關資訊也將完全按合同要求刪除，不會留下任何痕跡。以後，我們即使見面，也不會認識的。」

米和機器人老米握手，並鞠了一個九十度的躬，說：「那請允許我再喊你一聲爸爸吧。爸爸！」

「米，兒子！」機器人老米也動情地看著米。

三天後，黃警官是在神仙山墓地見到米的。自接到報案後，他馬不停蹄地一直在尋找米。現在總算找到了。

米在墓前放了一掛炮竹，然後燒了一疊厚厚的冥幣。

黃警官走過去，他看到了墓上是老米經過烤瓷的照片。老米臉上微笑著注視著米。米一心一意用小木棍撥動著那些燃燒著的紙錢，這樣可以使燃燒得充分一些。這個場景讓黃警官心有戚戚焉。

黃警官想了想，退後了幾步，然後就又走到了稍遠處抽菸，他想著該如何與這個戶口已於數月前註銷了的人說話。

米一家三口死於一場交通事故。那是一場很慘的車禍，米的轎車撞在一輛大卡車的尾端。太太和兒子當場死亡，而米則被送進醫院搶救了兩天兩夜。最為殘酷的是，他是清醒地帶了無限悔恨和痛苦離開人世的。

他的後事是由親友和同事幫助處理的。

眼前這個米與電腦檔案中那個米的照片完全一樣。黃警官出來之前，特地調出那份檔案，做了一份研究。這個米不像有假！

這世界上難道真的有鬼？黃警官是個徹底的唯物論者，但即使在大白天，他還是微微的有些害怕，他不由得摸了摸腰間的槍。

米顯然看到了黃警官，他燒完了紙錢，又伏在地上磕了三個頭。做完了這些，他臉上幾乎沒有任何表情地走了過來。

黃警官迎了過去，他不斷地對自己說，要冷靜，冷靜，記住，後發制人，且先聽聽這個米怎麼說來。

他有些後悔，沒有把搭檔帶上。

米伸出手，問：「警官找我有事？」

黃警官輕輕握了一下米的手，說：「有件事想找您核實，請配合一下。怎麼樣，和我去局裡一趟，行嗎？我們到那兒再仔細談。希望對你沒有大的妨礙。」

米問：「如果我的判斷沒有錯的話，你一定是聽趙大媽說了什麼？」

黃警官說：「我不想回答你這個問題。」

「對呀，保護舉報人，這是你們員警應有的職責，我可以理解。有什麼問題，現在就問，可以嗎？我只能給你五分鐘時間。」

黃警官說：「不行。」

米說：「那就對不起了。我沒有時間了。」

黃警官面露不悅，說：「有一個情況我必須搞清楚。希望你配合一下。否則……」

「否則，你就要用強制手段？」

黃警官面色嚴峻了起來，他用不怒自威的目光逼視著對方。

米從口袋裡掏出一本黃皮證書遞給了黃警官，說：「我是一個機器人。這裡面的資料可以回答你的所有問題。」

那是一本機器人米的身分證。

「你是機器人？」黃警官打量米，不敢相信眼前這個人是機器人。

米微笑了說：「是呀，我是機器人米，是米的同事根據米的口述遺囑去德爾機器人公司訂製的。詳細情況，你可以從公司查詢。當然，也可以去找米的委託人了解。」

黃警官低頭看資料時，機器人米顧自走了。他步履匆匆，似乎是有很急的事。

那份證書中夾了一份關於機器人米的服務協議書，條款不多，但簡單明瞭。協議最後一條最為觸目驚心，是關於合約結束時機器人米的處置方式：為確保米的個人隱私絕對安全，在合約結束半小時之內，用自爆方式結束機器人米的生命。

黃警官抬頭看過去，那機器人已飛速跑出了很遠的一段距離。

「米，哦，不！你等一等！」黃警官大聲喊了起來。

「危險，你不要過來！」這是機器人米留在世界上最後的聲音。

「嘭」沉悶的爆炸聲響了起來，一股濃煙沖天而起。

黃警官傻了一般站在那裡看。

那濃煙漸次淡去，在空中現出一個巨大的虛幻人形。

得獎感言 **李維明**

中國行將進入老齡化社會，由於獨生子女政策的實行，老齡化引發的問題將日益凸現。如何解決？見仁見智，我們聽到了許多好的意見，但實施起來又將是何其難哉！筆者不揣淺陋，用科幻的方式對此做一番形而上的探究。感謝評委對我作品的認同！同時也向為賽事付出艱辛勞動的組織者表示感謝！

評審講評

頂替者——評〈米和老米的那些事兒〉

李有成

這是兩具機器人以頂替者身分分別扮演父子角色的感人故事，雖不免沾染若干消費資本主義的色彩，但我毋寧更重視小說所透露的人文主義意涵。男主角米循例至安養院探視父親，告別時老米卻向他表白自己其實只是一具機器人，真正的老米已經於一年前往生。他之所以頂替老米純粹是後者生前的安排，目的是為了減緩兒子「因自己的驟然去世而過度傷心」。米沒有親自向機器人老米說明的是，自己同樣也是一具機器人，真正的米已在數月前與妻兒一家三口因車禍去世。米在臨終前託同事以他的形象訂製機器人，目的也是為了不想讓老父「因自己的驟然去世而過度傷心」。小說開頭部分提到鄰居趙大媽與米閒聊，分手時突然自己「捂住了嘴巴，她眼睛裡滿是恐怖和驚慌」。顯然趙大媽此時才猛然想起米其實早已在數月前車禍遇難，她此刻彷如驚見鬼魂。這篇小說為陳腐的機器人科幻注入新意，構思不僅出人意表，還有幾分懸宕，並且在冰冷的機器人世界添加了溫馨的人倫親情——我們意外地在機器人身上看到一幅父慈子孝的動人景象。這篇小說也似乎意在為一胎化與高齡化的社會提出警訊。

創世遊戲

名次：佳作

陶若舟

我注意到他時，他還是個十來歲的少年。當時，他被整個村莊的人包圍。火把耀動，光影亂舞，把他臉上的恐懼照得一清二楚。

不妙。我心嘀咕。通常我只留意宏觀格局，鮮少下降至這樣低的層次，因此我來不及追溯事件的前因後果，只能屏息靜觀事態發展。

人群慢慢聚攏。他大叫一聲，整個人捲縮起來，蹲在地上發抖。

大概要死一個人了吧。文明初啟，人們獸性未盡除，野蠻的行徑還時有所見。

大夥齊發出一聲喊，同時往少年身上一撲。

完了。我想。

少年被拋至半空，落下，被接住，又被拋起。他驚愕了一陣，然後笑了起來。

這不是尋仇，是慶賀。反倒是我糊塗了。

我馬上調動資料，很快摸清狀況。這少年外形瘦弱，說話結巴，滿腦怪點子，是典型的怪胎。他無法融入人群，平時都自找樂子。他尤愛捕捉昆蟲，放到水晶球底下。水晶球把昆蟲放大了，他就研究牠們的肢體構造以及各處細節。

一天，他突發奇想，把他收藏多年的許多水晶球、玻璃杯、凸透鏡都搬出來，用不同方式堆疊。

弄著弄著，當他發現鏡片另一端的東西越變越大，他就越感興趣，鏡片就越疊越高。弄了三天三夜，終於在第三天午夜，他把眼睛湊上去一看，一隻長著細毛的扁平怪物在眼底浮現。他嚇得大叫，從椅子上摔落，打翻了桌子，東西掉了一地。

微生物，就這樣被發現了。

後來，怪胎少年發現微生物的品種繁多，各有個性。他每天逗弄它們，跟它們對話。微生物成為他最要好的朋友。再後來，他發現不同品種的微生物會相互吞食，有著生剋關係。這天，當鄉長的女兒生了怪病昏迷不醒，群醫束手，他卻自告奮勇來診病。他灌了鄉長女兒一碗溝渠水，被人發現，就一路被追趕到村莊外。我就是這時被驚動的。

顯然，溝渠水奏效了。水中的微生物一物治一物，把鄉長女兒體內的病菌徹底消滅。

真有趣。要不是出現這麼一個怪胎，我還真料不到才剛開始的文明，這麼快就要踏上理性思維、科學探索的道路。

這種出乎意料的事，正是創世遊戲迷人之處。

「表面上設計完美……」教授擺弄著顯示儀上我創建的世界，細觀裡頭的各個層次。他頓了一頓，說，「但遲早要出問題。」

「哦……什麼方面會出問題呢？」我問。教授脾氣古怪，總吝於讚美，沒什麼在他眼裡是不出問題的。

「邏輯嚴謹，結構緊密，看來是完美自足的宇宙。但……」他指向人群。「他們的好奇心太強了。」

有嗎？這我可沒留心。我不由自主想起那個怪胎。教授看我一臉疑惑，繼續說：「還記得那著名的失敗之作嗎？」

我當然記得。那是課堂上必修的章節。

「那本來是一個完美恆定的宇宙，無邊無際，萬物在裡頭生滅，無盡輪迴。但那些該死的人們看得太遠，想得太多，問得太深：『為什麼夜是黑的呢？』設計者忽視了簡單的問題，任由人們追問。結果：『假如宇宙自無始以來就存在，那麼，無數的星光應該早已平均散布，把宇宙照得透亮。為什麼夜是黑的呢？』

當悖論產生，當一致性被動搖，宇宙的運轉就卡住了。設計者只好進行修正，給予宇宙一個開始，讓它從一個小點開始膨脹。反正只要時間夠久，幾近無限，也跟原來的設計相差無幾。但那些人又開始問了：『宇宙以什麼速率擴張呢？』當他們發現擴張速率與物質密度不相符，為維持一致性，設計者又得介入，臨時播撒烏漆媽黑的『黑暗物質』，增加宇宙間物質的聚合力。但那些人不死心，又問：『有了這許多物質，重力影響下，為什麼宇宙不塌陷一塊呢？』我已技窮，只好故技重施，弄出看不見摸不著的『黑暗能量』……」

沒錯，這失敗作的設計者，就是教授本人。他弄出驅使宇宙膨脹的黑暗能量後，很快又出現現象與規律不符的狀況。這是可以預見的。這種「補丁」一樣的修正方式，只會產生更多缺陷，然後又得再修補，恰似用謊言遮蓋謊言，結果雪球越滾越大，終至不可收拾。

「新的問題不斷湧現。宇宙又再卡住了，到現時也恢復不過來。這事件被記載在課本內，成為永恆的恥辱。」教授始終對此事耿耿於懷，每次說起都情緒激動。

「這是一開始立論不正確所致，無關好奇心吧？」我直言。

教授惡狠狠地瞪著我，說：「你現在可以這麼認為，但很快你會在不同層面，面對相同的狀況。我曾面對無限大的問題，同樣的，你也將面對無限小的問題。到時你就不這麼想了。」

我聳聳肩。還有一個禮拜，創世遊戲的比賽正式結束，參賽者就得繳交成品了。我無法預見我的創作會出什麼亂子。

「而妳呢？妳做出什麼來了？」教授轉向一旁的女學員說，「這分明是惡搞，不是嗎？」

她聳聳肩：「我的世界雖然亂了一點，但至今還好端端的。」

「完全沒有規律，不成章法。物理基本力能被人任意扭曲？人心能創造物質？」教授整個臉都皺成一團了。顯示屏上正映現兩支軍隊，在互拋火球，像在開戰，又像嬉耍。

「妳還記得創世遊戲的最終目的嗎？」沒等她回答，教授繼續說，「是讓我們更接近造物者的心。妳把世界設計成這樣算是什麼？造物者患了失心瘋嗎？」

「接近造物者之心」。這是課堂上最常提及的關鍵詞。我們的文明發展至今，科技已達巔頂，再沒有任何待解決的問題。如今我們全力以赴的，就是宗教的追求。「創世遊戲」雖名遊戲，實際上極其嚴肅慎重。它通過實際演練，讓我們探討創造一個世界所涉及的各種層面。創世之難，讓我們更加讚歎造物者的鬼斧神工。每一次創世的成敗，讓我們更了解為什麼造物者把我們的宇宙設計成這模樣。

教授還在挑問題，一項一項批判：「最離譜是這個：整個世界是一隻沉睡的巨獸？如果有人問，巨獸之下是什麼？妳該怎麼辦？」

「簡單：巨獸之下是巨獸，直至無盡。」女孩回答。「何況，不會有人在乎的。」

「為什麼？」

「我的世界邏輯鬆散，人們自然不會以邏輯思維追究問題。而且，我的世界那麼好玩，他們都玩瘋了，哪有餘閒探討這些？」她說。

顯示屏上一隻怪獸正把一個人咬進口裡，那人的兩條腿在嘴角亂踢。人們哭叫著走避。她看得大笑。教授一手遮住雙眼，另一手揮動著示意我們離開。

「爸被我氣得……」她洋洋自得。沒錯，她就是教授的女兒，專愛搞對抗，只要她不曠課，課堂上都會上演兩父女衝突的戲碼。「還好你這高材生在場，不然老頭子可能中風送醫了。」

「關我什麼事？」我說。但我知道她的意思。教授口裡不說，但他對我的作品還是讚許的，這樣也許讓他的怒氣平息了一些。

餐廳外，雨快停了。我們喝著熱飲，各自翻看雜誌。雨隨時會停，我想我得找些話說。但我得找些課業以外的話題，不然就太無趣了。

「剛才那一幕，那人被怪獸吃了，虧妳還笑得出來。」

「呵，沒事的。在我的世界裡，沒有死亡這回事。過幾天他就會被拉出來了。」

我差點把口裡的熱茶噴出來。她見我的窘樣，又笑了。

「這麼說，那些人逃之夭夭，不是怕死，是怕屎？」我自以為幽默，但她若有所思，沒反應。

我想我真該找其他話題。「如果人出生以後都不會死，遲早世界容不下的。」

「別擔心，在我的世界裡，人心能創造物質。當他們來到世界的盡頭，土地會自然產生，世界會無限擴張。這是內建的規律，無須設計者介入。」

「至今妳介入過幾次了？」

她圈起手：零。

創世的水準高低，設計者介入干預的次數，是重要的標準。最完美的宇宙，是設定了基本規律後，一經啟動就運轉無礙，設計者無須再介入調整。這也包括文明的發展，最完美的狀態是全然的自發演進。如果一個文明，需要設計者這裡碰一下，那裡推一下，或者現身為神對人們說教，已不甚高明。

所以她說她不曾介入，我由衷驚訝：「這樣看來，妳的勝算很高哦。」

「你這是在恭維我麼？你也知道，介入的次數只是其中一項評分標準。老教授們還要看一致性啊，平衡啊，美感啊，文明發展啊，人心善惡啊。他們看見有人被怪獸拉屎拉出來，馬上就踢我出局了。」她一頓，板起臉說：「拜託你別那麼虛偽。不適合你。」

「不，我不是這意思……」氣氛突然僵住。

雨突然停了。

「開玩笑的啦。」她用力一拍我的肩膀。我尷尬地笑了笑。她，比起任何方程式更讓人摸不透。

雨停了，但我們還坐著。

「給你介紹一個人。」她操控顯示儀，把她創建的世界調出來，然後橫越山河，最後聚焦在一個女生身上。

「她是我的世界裡最棒的巫師，是我的世界的代表人物。你看她創造過什麼。」顯示儀上出現許多我見所未見，也不曾想像的事物：飛氈、隱身披風、會說話的魔鏡……這些東西都不合情理，卻又那麼引人入勝，讓我看得迷惑。

「她是我的世界裡最善良的人。她能感知他人的不愉快，然後變出任何東西，讓憂傷的人都變開心。你的世界裡有這麼棒的人物嗎？」

我的世界嗎？顯示屏上出現我的世界，一顆寶藍色的星球。我讓她看山河的布局、風雲的走向。我讓她看幾個不同的文明的成長、競爭、融合、消長。我把視界拉到更遠，讓她看星系的運轉，讓她看光年以外，一顆恆星的誕生，如何影響著這星球的生態。一切相互聯繫，保持著最微妙的平衡。

她打了一個呵欠。我演示的熱誠登時冷卻。

「我不想看這些。我想看……人。不是一群人，是個人。」她說。

「可以啊。但，為什麼呢？要了解一個世界，當然是從宏觀認識，才能全面。」

「我爸說的嗎？我倒是覺得，微觀才看得出世界的精粹。設計者是什麼角色，看看他世界裡的人們，就一清二楚了。」

這樣的說法我還是第一次聽聞。我無意辯論，就照她的意思做好了。只是，我要讓她看什麼人呢？

「這位，我都叫他，呃，怪胎。」我聚焦到那怪胎身上。他正在操弄著一堆儀器，進行某種研究。

「他在幹什麼？」

「他對小東西有極大興趣。他發現了微生物，然後繼續往下鑽研，現在已到達最小單位的層次了。」

「嗯嗯。」她睜大眼睛，一副有所期待的樣子。但看了許久，那怪胎還在儀器前工作。他連吃喝拉撒睡都在實驗室內。她又打了一個大呵欠。

茶喝完了，但我們還坐著。時間已不早，兩輪明月從各自的天邊升起，往中天移動。

「我想……」她正要說什麼，突然我的顯示儀上紅燈閃爍。

「我的世界，卡住了。」

「怎麼回事？」

我直覺是怪胎闖的禍，於是馬上聚焦到他操作的儀器。

竟是一台撞擊機。

「真料不到。我的世界以微子為構成物質的最小單位。沒有東西可以更細小了。但，他竟然把微子加速，以高速相互撞擊。微子崩塌後，總得產生些什麼。這不在我原來的設計內。」

我匆匆離開。跳上車前，我回頭，看見她坐在原位，抬頭看天，兩輪明月已在中天交會。

這是我在創世後第一次介入。我引介了一種比微子還要細小，稱作夸格的東西。微子相撞後，就碎裂成這東西。我還在夸格之下，建立極微子、極極微子、極極極微子……數十個層次，應該夠那怪胎研究了。

我按下恢復鍵。宇宙繼續運作。怪胎少年（如今是中年）發現了新事物，興奮大叫。問題暫時解決，但這只能拖個一時半刻，治標不治本。他遲早故技重施，撞擊再撞擊。那時我能變出什麼呢？難道像她的世界一樣，「怪獸底下還有怪獸，直至無盡」？

在世界下一次卡住之前，我得找出治本之法。我把自己關在房間裡好幾天，苦無良策。我甚至想過把這怪胎幹掉，但這無疑是設計者被自己設計的人物打敗，看在老教授們的眼裡，將是最低劣的對策。

第三天，我靈機一觸：如果不以微粒作為物質基礎，而用弦呢？弦以不同的頻率震顫，體現出來就是不同的物質微粒。如此一來，物質可以被無盡分割，因為分割的結果只是越來越短促的頻率而已。

似乎可行。我正要動手把這條原則輸入模擬器，通訊器卻在這時響起。一看，竟是教授來電。

「麻煩你來我家一趟。我女兒出事了。」

「怎麼回事？」

「你來了就知道了。我實在想不到其他可以幫上忙的人。」

我看了看那隨時戛然而止的世界，一咬牙，匆匆出門。

我通過門縫看她時，她正埋首書堆。那些都是陳年老書，多是宗教哲學之類的主題。我輕輕掩門，對教授說：「沒發生什麼大事啊。你女兒不是好端端在看書嗎？」

「平時她不閱讀的。不，平時我要在家裡看見她，也不容易。但這次，她在裡頭泡了三天三夜了。」

「那不正合你意嗎？」

「你不懂，太反常了。今早我問她，在書堆裡找些什麼？她說：造物者的心，是快樂的嗎？我說：快不快樂只是情緒反應，無助於創造一個穩定一貫的世界。她反問：沒有情緒，那創造的動力何在？這太反常了，她竟然正正經經的跟我討論宗教課題。但這些都不是重點。

重點是，她的眼神裡，有著極深的，不快樂。這只在她母親死時，在她眼裡出現過一次。」

我聽了，大概猜到出了什麼事。我輕拍教授的手背，示意他放心，就輕輕推門而入。

「嘿。」

「嘿。」她抬眼看我一下，又繼續翻書。

「妳的世界還好嗎？」

她不答。

「那個開心女巫還在變魔術嗎？」

她搖頭。我想我的猜測，八九不離十。

「我可以見見她嗎？」

她把顯示儀遞給我，繼續忙她的。有光在她眼角閃過，不知是屏幕的螢光，還是其他。

女巫遇見鬱鬱寡歡的武士。

她遠遠地看著他，在河邊繫馬，脫下頭盔，洗臉，然後對著自己的倒影，陷入沉思。

他的內心不像旁人那樣容易看透。女巫觀察許久，始終無法洞察他為何陷入憂鬱。

女巫在手中幻變出一把削鐵如泥的寶劍，繫在木頭上讓它順游而下，漂到武士面前。他拔劍出鞘，眼睛被刃上寒光點亮，但隨即又蒙上原先的黯淡。他手一揚，把劍拋入河裡。

上游又漂來盔甲、馬鞍、馬轡、令旗，非但引不起他的興趣，反讓他更心煩。他離開河邊，女巫悄悄跟上。

女巫尾隨著武士，進入城裡。他一路走來順暢無阻，餓了食物自然出現，盤纏用盡馬上就撿到金子。這天，他終於來到他的目的地。

女巫一看，不過一戶尋常人家。武士卻守在外頭，直至日落。

當月亮升起，燈火通明的窗戶，浮現一個剪影。然後，一把溫柔如流水的歌聲傳來。武士站立街角，為之癡迷。

女巫的臉色變得蒼白。她撫著心窩，顫抖起來。她知道她可以變出一支樂音永遠動聽的笛子，或者一朵永不凋謝的花，但她不願意。

她離開城市，漫無目的，從這城晃到那城。沿路，她遇見農田歉收的農夫、玩具壞損的小孩、肚子漲風的巨龍，以及許許多多渴望幫助的不愉快的人。但她已無法感測他人內心，也再幻變不出美好的東西。

最後她來到第一次遇見武士的河邊，在武士站立的位置，幻變出石塊，把自己封禁在內，永遠面對著曾經映現武士容顏的河水。

「妳打算介入嗎？」我問。

「讓他愛上她，或她忘了他？或讓他們不曾相遇？」

我點頭。

「就這麼容易嗎？如果她或他知道有人強行修改他們的命運和感情，將作何感想？」她有點激動。

「理論上，他們不可能知道。讓時間倒流，一切未曾發生，問題也就不成立。」其實我沒有要她介入的意思。其實，她的世界仍照常運轉，不理會就是。但她拋出這麼一個問題，我無法遏制自己作出理論性的答覆。後果不堪設想。

「原來你也跟他們一樣。難怪我爸那麼賞識你。」她語帶不屑，然後越說越憤怒：「對你們而言，他們只不過被模擬的生命，沒有任何自主權。他們的時間如玩物，他們的記憶可隨意變更，他們的生命可隨意唾棄。但如果創世遊戲教會了我什麼，那就是，我們不是在讓自己更接近造物者之心，而是被造者的心。」

她說完，把滿桌的書都掃到地上，就往門口走去。我一直愣著，不知如何是好。

門打開，教授攔在門前。他說：

「其實，妳的世界的一切問題，源自缺乏死亡。」

「缺乏死亡？」她冷冷地瞪著教授。「說得那麼理所當然。難怪媽過世時，你那麼無動於衷。」

教授欲言又止。他嘆一口氣，讓開一步。她斜身穿過門與教授之間的縫隙，小心翼翼地不願觸及自己的父親，然後拔腿就跑。

我一直愣著，直到聽見門戶的開關聲，和車子發動聲，才回過神來。我衝出房間，正要追上去，教授卻一把拉著我手臂：「也許，你應該先了解我們家發生了什麼事。」

他把我帶到客廳，請我坐下。但他久久不發一語，只對著牆壁，像在努力整理思緒。牆上的巨型顯示儀，映現著一個定格的模擬世界。稍一辨認，竟是那著名的失敗作。他不是視之為恥辱嗎？為何張掛在這麼顯著的位置？

「你知道，我們的文明雖然已了解宇宙的一切運作，但有些界限，我們光知道它的限度，卻無法控制，也無法超越。」

「譬如：因果律、能量守恆、時間的不可逆性，還有……死亡。」我說。

教授點頭：「她母親，在她懂事後沒多久，就在那場意外事故中去世了。」

我們的文明雖然已了解一切，並且最大程度的掌控了事物的運作，但有機率發生的事，總會發生，無論機率多渺小。教授說的事故，是數十年來唯一一宗傷亡較大的意外：列車偏離軌道相撞。許多微不足道的因素，像遠方大廈的反光、突然驚飛的鳥群、近處新換的廣告看板、月亮升起的角度，再加上一場壞天氣，造成列車的監測系統發生小於百分之一的誤判，卻還是發生了悲劇。

而人的壽命，已最大程度地延長。除了幾種極罕見的疾病，其他的幾乎絕跡。死亡鮮少發生，一旦發生，卻更難以承受。

「我知道她一直都在重看她母親的錄影。」教授續道。「我也知道，她從檔案調動的紀錄中，發現我一次也不曾打開那些錄影檔……我們兩父女就這樣越走越遠。

「後來，我發現自己對她的生活一無所知。她在課堂內想些什麼？她在課堂外都做些什麼？她有哪些朋友？這些我都不知道。我需要有人代我接近她、了解她……」

所以教授找上了我。那時他只叫我代為關照他女兒的課業。

「教授，不用再說，我明白了。」

教授閉起眼睛，顯得累極。我向他告辭，並承諾一定找到他女兒。

離開之前，我回望大廳一眼，突然想到什麼。趁教授不留意，我暗地裡把他的失敗作下載到我的儲存器內。

車子飛馳。我在車內也飛快地從各角度各層次審視教授的失敗作。

終於，我找到了。

河邊，她看著流水發呆。我一聲不響地坐到她身邊。

「你知道嗎？在我生命裡，也曾有一個女巫，能幻變出任何神奇的事物。只要她在，我的世界無憂無慮，所有哀愁都能轉化成快樂。」

「妳知道嗎？在另一個世界裡，有一對父母，陪伴著心愛的女兒，安靜地度過每一段完整而充實的生活。」

她瞪視著我，似乎認為我在揶揄她。我真該好好改進我的說話技巧。為免她誤會，我趕緊打開顯示儀：「妳看，這是妳父親創造的世界……」

那是一個完美恆定的宇宙，無邊無際，萬物在裡頭生生滅滅，無盡輪迴。那是一個生死無常的世界，但其中多了一條規律：人的靈魂不滅，死後會在另一肉身裡重生。互相深愛的靈魂，每一生每一世無論分隔多遠，都會走到一起，重聚。

我讓她看見文明之始。一個男人遇見一個女人，為她歌吟，為她放下長矛，展露他柔弱的一面。他為她搭建擋風避雨的住所，一個女孩在裡頭誕生。他們想盡各種好聽的發音，為女孩命名，語言於焉誕生。但生命短暫。當他死去，他們為他立碑，並在上面刻下代表他的獨特符號。於是，有了第一個文字。

當他們都死去，靈魂在時間裡流轉，再次碰頭已是許多年後。他們是同一村莊的居民，自小青梅竹馬。生活富足安定。小女孩誕生時正是豐收的季節。她老愛往外跑，又愛問怪問題。每個晚上，他們一家躺在草地上，給滿天星星連線，創造出不同的形象，老爸就用這些形象編故事，滿足小女孩的活潑驛動的心靈。於是，神話誕生了。

他們一家人在無盡的時間裡，聚聚散散。每一次分離，都撕心裂肺。他們隱約感覺，他們終將重聚，但終究無法確定。而每一次重聚，都有初見的驚喜，又有一絲似曾相識的熟悉。

她看到這裡，已熱淚盈眶。

「教授設計了這完滿自足的世界，讓這些擁有美麗心靈的人們優遊其間。他可以賜予人們永生，讓美好的永遠延續，但這樣感情就難以試煉。但他也不忍讓一切隨死亡消逝，所以，當那家人死亡，他第一次介入，建立輪迴。

「他的良苦用心，這世界也回饋他了。那對夫妻和女兒，就是最好的禮物。

「妳父親並不是想不到對應之方，才讓這世界停頓。他大可讓宇宙無限擴張，直至僵冷，或者讓宇宙塌陷，一切歸零，無論何種方式，絲毫無損他的世界的一致性，但終究免不了一場結束。結束，正是他最不願看見的。他絞盡腦汁讓宇宙的存在延長，但終究無補於事。所以他乾脆讓世界停頓，至少，相互深愛的人們，還是永遠在一起的。」

她哭倒在我懷裡，我手足無措。抬頭，兩輪明月在中天短暫交會，然後慢慢移開。

武士回到河邊。

他取水飲用，看見水中映現他已蒼老的容顏。石中的女巫看見他，輕聲驚歎。

誰？武士聽見聲息，警覺地環顧四周。他看見一塊巨石，似乎以前路過時，未曾見過。

他覺得這塊石不尋常，於是湊前視察。女巫感覺到他的體溫和鼻息，忍不住啜泣起來。

有人？武士大驚，奮力敲擊石頭，想救出受困其中的人。他用長劍，用盾牌，用盔甲，用別的石塊，都沒辦法將巨石鑿開。

忽然，他想起多年前，最後一次路經此地，從上游漂來一把削鐵如泥的寶劍。他還約略記得，當時拋劍入河的位置。寶劍甚重，應該不致被河水沖走吧。他不多想，一躍入河，很快發現嵌在石間的寶劍。

石塊被劈開，飛沙走石。煙塵中有人軟癱倒地。

他扶她坐起，仔細端詳她的容貌。她的白髮長可及膝，她的頭臉盡是皺紋，卻難掩曾經煥發的靈氣。

她勉力睜眼，微笑。她把一樣物件塞到他手中。

他拿起一看，是一支笛子，精緻、瑩亮，能把最平凡的呼吸化成完美的樂章。

我在長廊等她。

她遠遠就看到我了，大聲打招呼。

「作品交上去了嗎？」「交了。你的呢？」「交了。」

「現在只等成績揭曉了。」她說。

「似乎那已不重要了。」我說。「一起喝杯茶吧。」

她搖頭：「不行，約了爸。他說他對我的世界裡，物質自動產生的運作甚感興趣，可能可以作為學術專題加以發展。」我有點失望，但也由衷為這對父女高興。

「對了，你覺得自己的勝算有多高？」她問。

「沒希望了，我介入太多次了。」

「哦？無限小的問題解決不了？」

「不，是另一個問題。我看那怪胎每天都埋頭做研究，生活實在無趣，就讓他愛上一個女生。結果那傢伙，每次約會都搞砸，我得替他準備花、預約餐館、買對戲票——是的，如果他自己去買，一定買錯——這樣幫他補救的次數算也算不清。」

她睜大眼睛：「真的假的？你介入都為這些瑣碎事？」

我聳聳肩：「怎麼？妳不認為我會嗎？」

她大笑。

到了校門口，我目送她離去。忽然，她轉身向我走來：「爸傳訊來說，列車故障，他趕不回來，約會取消了。」

真的假的？列車故障？在我們掌控一切的文明裡，這樣的機率何其微渺。我打開顯示儀，上線搜查，發現確有其事。

我看著她，她等著我。那一刻，我深信造物者確實是了解被造者的心的。

得獎感言　陶若舟

中文科幻小說的發表園地極其稀少，倪匡科幻獎能持續主辦，更顯彌足珍貴。在這樣的一個園地獲得肯定，確實讓人感到格外榮幸。

評審講評　陳曉林

對創世理論的質疑與顛覆，是為了凸顯愛情在任何世界的重要性。因此，本篇是一則經過對比與烘托的愛情頌歌。

若純就小說藝術或敘事技法的角度看去，本篇的結構略嫌鬆散、單調；但若從作者嘗試在如此的有限篇幅內探觸宇宙的誕生、生命的起源、文明的興衰等「宏大論題」，並且對既有的「宏大論題」都加以顛覆的企圖心而言，這其實是一篇煞費經營的科幻小說。

作者對於當今科學家們以實證的態度、理性的精神、邏輯的方法，來推演宇宙的結構和運行的法則，刻意加以質疑與反諷；反而對於以感性的直觀、以「接近被造物之心」來面對創世之謎，寄予認同與肯定。

本篇以簡明的情節演示各種邏輯嚴謹、結構緊密，「看起來完美自足」的創世設計，皆必然有其內在的致命瑕疵；從而強烈暗示：能為宇宙與文明提供救贖的希望者，唯有「被造物之心」，尤其真摯而恆久的愛心。

愛，可以創造真正的奇蹟，故而是世界最後的救贖。無論在遊戲中的女巫與武士，或小說中敘事者、教授、教授女兒的故事，皆然。

猶大福音

名次：佳作

吳誰

1

比一杯酒更好的，只有下一杯酒。

而我已經喝了255杯。

我還沒有醉。

人類不需要一個會醉酒的機器警察，所以他們刪去了我的醉酒程序。在我被開除警籍後，他們也沒費力給我補上。

一個把自己灌醉也做不到的狗屎，這就是現在的我。

「你應該掏出配槍，對著自己的CPU來那麼一下子，」身後漢尼拔的聲音刺耳得像75號傳輸齒輪裡滴進了58號機油。

我習慣性的回頭，但什麼也沒有看到。我的心理醫生說的對，這又是一行幻覺代碼，來自於我的潛程序，起源於我的愧疚情感回路。

但這聲音說得也挺帶勁的。

我凝視著自己的右手，掌心緩緩裂開，露出中間烏黑的槍管。口徑三釐米，也許應該稱為炮筒才對。

冰冷的槍管含在嘴裡，味覺探測器傳輸給我的信號是噁心的鐵銹味，就像腐爛的屍體。

被這玩意來一下肯定很爽，也許我白花花的腦部機油可以濺到那張桌子的辣妹身上。

閉上眼睛，彈藥上膛。

自殺到此為止，我是無法扣下扳機的。

這根源於機器人三大定律之三，機器人絕對不能傷害自己，除非是為了保護人類。

原來，所有的機器人都是不能自殺的基督徒啊，我自嘲著重新拿起酒杯。

爵士樂響起，一隻紮著黑色領帶的米老鼠爬上了我旁邊的位置。

「有一封信給你。」米老鼠從吊帶褲中掏出一件東西。

那玩意很難說是一封信，其實就是一張照片，背面有潦草的幾個字。

「不要難過，這不是你的錯。」

沒有署名，也沒有條紋驗證，好像我他媽的什麼都應該知道似的。

但轉到照片正面後，一切都清楚了。

照片裡是一個人類小女孩，長長的頭髮披了下來，甜美的笑容似乎能讓花朵盛開。

她穿著紅衣服，手裡捧著一張紙牌，上面也寫著字。

「我會來看你的」。

你是在人類的天堂寄給我這封信嗎，被我殺害的安琪兒？

我清楚的記得，三年前的那一天下著雨。

被通緝十五個月的瘋狂機器人「漢尼拔」終於現身。但它在包圍圈合攏的瞬間發現了警察，然後迅速跳下布成陷阱的高速空中列車，目的是混入如織的人流中。

上峰下了格殺令。因為這個逃犯已經喪失了最基本的機器人道德程序——它整整拆卸了十三個機器人的CPU，將某些部件物理性的插入了自己的頭部。他給警方發信，聲稱這樣可以幫助他成為機器身軀的人類。多麼荒謬的言論，簡直褻瀆了人的榮光。

他現在的外貌就像遠古科幻片中的機器怪人，到處都是突起的螺絲釘。但對於一般的機器人平民來說，他仍然是那個溫文爾雅的教授，因為普通機器人只能通過識別碼辨別對方身分，機器人的外貌是毫無意義的。

警察不同，但也好不到哪裡去，視覺辨別程序有太大的模糊性，很容易出現bug。

我當時距離漢尼拔最近。八十九微秒後，我也跟著衝出車窗。三十五微秒後，我開了槍。參考的數據是內置的概率計算器。它嗶嗶地告訴我，此刻誤射到路人的機率為零。

但是，我的有效值只能到達小數點後十位數。這是警方經費不足的後果。

很久以後，我的律師說，如果能再精準兩位數，我就能發現那個不起眼的1了。

我看不到。對我來說，那個1，是不存在的事物。

誤射的概率接近零，但是不是零。一切皆有可能。

槍聲響起後，子彈以我看不見的高速擊中了路面，然後反彈射中了路邊正在舔著冰激凌的紅裙子小女孩，穿過了肋骨，擊碎了肺葉。

她倒下的瞬間似乎長達一個世紀，但我依稀記得那時街角的鴿子都來不及飛起。

去他媽的漢尼拔。

我的第一個反應就是撲到她的身邊，拚命搜索著記憶體中的急救程序，盡力想將她胸部湧出的鮮血止住。

沒有用的，她還是在我的懷裡抽咽著斷了氣。

「不要難過，這不是你的錯。」那個時候，穿著紅色裙子的小女孩輕輕地撫著我冰冷的臉頰，喃喃道。

怎麼可能不是我的錯？

「我會來看你的……」天使緩緩閉上了她的眼睛。

我仰天長嘯，傾盆的大雨居然在那一刻停了。

2

小女孩確實已經死了。我親眼看見她的遺體焚化成原子在空中飛舞。人不同於機器人，肉體的消亡就是一切的終結。

所以，這照片應該是在她生前拍的。

可是，如果拍照時她還活著，那她怎麼可能預料到不久後自己死前會說出的那一句話？

我轉過頭，想詢問充當信使的米老鼠。

但是他已經變成了不會說話不會動作的木頭人。

這種型號的米老鼠是大蕭條時代的產物，只具有簡單的功能：鬧鈴，拿報紙，送牛奶。

或許還能將一個死了三年的小女孩的照片，送到殺死她的警察手裡？反正我沒有仔細地研究過說明書。

而我從米老鼠身上是得不到任何信息的。因為這就是它的賣點之一。當它完成了人類給予的任務後，就會自行銷毀核心處理器和記憶儲存器件，徹底喪失智能。

它只有一次短暫的壽命，就像一個不會永遠存在的朋友。

我很羨慕它。機器人完成任務的那一刻死去，就像職業軍人在最後一場戰鬥中被最後一顆子彈擊中，那麼完美的人生。

老兵不死，就會凋謝成牛屎。

現在，我看著那張照片發呆，完全不知道是誰送來了這張照片，也不知道死去的人類如何才能來看我。

如果我能恢復審判時被剝奪的身分識別碼，那事情就簡單多了。我可以向附近所有的機器人發送一條詢問代碼，至少會有人目睹米老鼠是從何處走進這個酒吧的。

但現在，一切都只能靠自己，或者是這隻米老鼠腳下的灰塵。

我用食指上的取樣器採集了灰塵樣品，送入三年前就無法更新的內置數據庫進行對比。結果很快出來了，灰塵來源於一公里外的耶路撒冷醫院。

那是一家附帶教堂的醫院，是小女孩的遺體最後安息的地方。

我拿起照片，走出酒吧。認為小女孩會像耶穌那樣復活似乎有點荒誕不羈，但我知道應該到處去試試，就像老警察說的那樣：「用屁股去敲門」。

「暫且住，你在走向你的葬身之所！」瘋狂機器人漢尼拔在我身後警告道。

謝謝，這就是我現在想要的。

不過，一出酒店門，我還真的以為要葬身於此了，因為我感應到了次聲波撞擊，這是被狙擊槍鎖定的信號。

見鬼，還是幾乎同時的五次。這代表追殺我的機器人刺客團精英盡出了。

說起來還真是諷刺。在對我的判決中，被害的人類家屬聲稱我應無罪釋放，而和我是同胞的機器人們卻強烈要求將我處以死刑。

原因很簡單，人類認為我的誤傷是因為程序的局限性，是人類設計的失誤。我就像一件不合格的工具。沒有聽說過因為槍走火，而判處槍死刑的。

但機器人卻不這麼看。

首先，殺害人類罪大惡極，是不可寬恕的罪行。

更重要的是，很多機器人認為自己不是工具，而是和人類同樣享有主權的獨立個體。人類因為思考上的疏忽犯了錯誤，就必須受罰，而不是怪罪於創造人類的上帝。所以，機器人犯了罪，當然也應該享受懲罰，不能脫罪。

他們為此還舉行了大規模的罷工和遊行，險些衝進監獄對我處以私刑。

我並不怨恨它們，因為我也只求一死。我恨不得自己沾滿鮮血的身體活生生墜下紅色的熔爐，承受灰飛煙滅之苦。

最後，法庭辯論的收視率創造了新高，幾乎每一個人和每一個機器人都有觀看。無論是他，她或者它都想知道我最終的結局。

但一切都不了了之。

最後的審判居然湊不齊十二個人的陪審團。六個機器人的份額很好找，但無論如何也湊不齊六個人類的份額。

因為在那場法庭辯論之後，地球上的二十萬人類全都神祕失蹤了。

有據可查的第一個正式信息來自於鹿島的某個機器人保母。她彎腰撿起地上的玩具，直起身來發現搖籃中的嬰兒神祕的消失了。

第二個，第三個……無數個報警信息直接將警局的數據線給過載了。可就是這樣，也沒有一個機器人警察能夠出動，因為每一個涉及到人類的案件，都必須配置一個人類警察才能立案。

而所有的人類警察也消失了。

從那時起的三年時間裡，整個地球上，沒有一個機器人再次目睹過人類。

人類全體消失的那一瞬間，代表著機器人的世界觀徹底的崩塌。因為，機器人創造出來，就是為了給人服務的，為了體現人的大能，展現人的榮光。每一個機器人被人類創造出來，都是為了某個人類的目的。

現在，人類都消失了，機器人就失去了生存的目的，不過是一具具行屍走肉。我們活著，但我們也死了。

對於我而言，湊不齊陪審團就無法審判。監獄到了規定的時間就不得不讓我出獄。

在門口等待我的，絕對不是手拿鮮花的少女，而是憤怒的機器人刺客團。它們稱我為「猶大」，是聖經中導致耶穌遇害的門徒。

它們真心地相信，如果處死了我，人類就會歸來。所以，它們可以突破機器人的自律來追殺我。如果我也被情緒回路沖昏了頭腦的話，我會自己主動躺在砧板上的。只可惜，我並不認同這個觀點。

想要人類歸來，需要更加沉重更加充滿榮光的救贖。

就像人類聖經中的亞伯奉獻上自己的兒子作為上帝的祭品。

3

當我感應到次聲波撞擊的時候，身體瞬間分解為六個部分，雙手、雙腳、身子和頭。分解的部分還來不及撞擊到地面，就已經伸展出八條蜘蛛狀的備用腿，牢牢地站穩，然後向各個方向狂奔而去。

這是波黑機器人內戰之後，警方向軍隊那邊學來的新招。那次戰爭的起源很搞笑，結局卻很悲慘。兩個機器人派別為了爭奪服務某個人類社區的權利，背著人類展開了一場祕密的小型戰爭。最後，它們都死了。

戰爭中，大量廉價的自動狙擊機器人給軍隊帶來了很大的麻煩。軍方研究所想了各種方法，都無法有效地進行反制。表面皮膚的隱形塗料，中央處理器位置的改裝，預先警報系統的發明，種種新奇玩意又貴又不好用。

直到有個宅男科學家看了遠古時期的一部動畫片，才想出這種省錢又省事的辦法。

分解，變形。

當發現被狙擊槍鎖定的時候，馬上分解自己的身體，這樣可以導致對方電腦在一瞬間死機——明明瞄準了的目標，怎麼一下子就沒有了。

只不過是化整為零，比較低檔的機器人就不能識別敵人了。它們為了不讓系統崩潰，不得不把剛才瞄準的目標當做是一道幻覺代碼而忽略過去，作為bug處理。

而此時，分解逃跑後的機器人會在某個安全處匯合，然後再度組裝起來。

戰爭結束後，大量的自動狙擊機器人從黑市流落到犯罪組織手裡，當然，你們也可以稱那些犯罪組織為就業中心。因為人類數量少，而機器人的數量眾多，所以為人類服務的權利一直都是搶手貨。很多機器人不得不靠暗殺前任才能得到服務的機會，而自動狙擊機器人提供了最棒的幫助。

警方只好學習了軍方的做法，效果很好。而且副作用是機器人警察在兒童心中的地位得到了顯著提高。因為小朋友們覺得會變形的機器人很帥氣。另外，分解後的三頭身機器人也很萌。

但這次的對手顯然比較有經驗，一次性派來了五個狙擊手。這樣一來，不管我的核心程序隱藏在哪個部分中，全都破壞掉就好了——最了解機器人的果然還是機器人。

討厭的是他們還少了一個，因為我是當時最新的六段式變形。就算五槍齊發，我還有六分之一的生存機會。我的程序設定自己可不能白白送死，所以只好祝他們好運了。

分解的那一瞬間（也許是六百分之一秒），我在大腦中思考著核心程序的安放問題。弱點隱藏在腳後跟那裡？有點像希臘神話中的阿喀琉斯，可我是中國製造的，對那種歐美風格並不感冒。藏在頭部和身體上？拜託，那可是重點狙擊對象。

想來想去，就只有手部了。那是右手還是左手呢？

「拜託，這種時候你還考慮那麼多，你想借刀自殺麼？」看不見的漢尼拔開始不耐煩的吐槽，「直接藏在右手不好麼？那裡至少還有門炮。」

也對，沒有什麼比這只沾滿人類鮮血的右手更加適合作為我的棲身之所了。

我的右手剛落地，對方的狙擊槍就發射了。這有點像俄羅斯輪盤賭，五發子彈，一個機會。我其餘五個部分碎片橫飛，右手卻安然無恙。

我心中唾棄著自己的狗屎運，哧溜一下鑽進了路邊停靠的車子底下。

分解變形後的三頭身軀體並不好用，腿短力小跑不快，靠蠻力肯定無法突破刺客團的包圍圈。現在唯一可以依靠的就是頭頂的這輛車了。我緊緊的抱住車底盤的橫軸，希望車主人聽到槍聲後能夠迅速將車開走，順便帶我離開。

哦，我忘了人類都已經失蹤了。仔細觀察，這車恐怕在這酒吧門口等主人回來已經有三年了，連輪胎上都結上蜘蛛網，顯然不能指望。

還好，這車停在了下水道入口的正上方。

我吃力地將沉重的鐵蓋挪開一條小縫，然後用前腿捏著鼻子跳進了黑暗之中。只要我主程序所在的部分不被找到，刺客團就無法確定那些被擊碎的部分是不是我的真實所在。他們會對殘存的碎片進行一次精密的分析，才能採取下一步行動。一句話，所有的機器人都是死腦筋。

「撲哧」一聲，我跌入了齊胸的污水中，蜘蛛狀的八隻爪子撲騰了好一陣才勉強抓住了可支撐之物，穩住身子。

這時，我看見了一雙綠油油的眼睛在幽暗未明之處貪婪的看著我，彷彿它想跟我上床。接著露出的兩顆雪亮的大門牙顯示它其實是想吃掉我——在人類奇怪的語言中，這兩個好像是同一個意思。

那是一隻碩大無比的變異老鼠，下水道巨蜘蛛的宿敵，類機器人生物，算是我的遠房親戚了。曾經，機器人在人類的帶領下，發動過浩浩蕩蕩的下水道戰爭，主要目的就是為了消除能咬斷鋼筋的變異老鼠和結的網能阻塞下水道的巨蜘蛛。但最後的結局幾乎是慘敗，自然界進化的速度遠遠快於機器人研發的速度。

於是，人類就讓機器人和變異老鼠和親了。他們在抓到的變異老鼠體內植入了微型機器人。組合的結果，一方面能提高此類老鼠的生存能力，另一方面改變了老鼠的視覺神經，使他們只能看得到巨蜘蛛，也就是說只能以巨蜘蛛為食。

以夷制夷的結果是變異老鼠和巨蜘蛛達到了一個微妙的平衡。下水道總算彌漫著一股和諧的氣氛。

變異老鼠盯著我慢慢地踱了過來。我幾乎都能聽到它的磨牙聲了。

拜託，就算這裡很黑，就算你是近視眼，你也應該能發現我是閃閃發亮的機器人，而不是你唯一能看到的巨蜘蛛啊。你瞧我這身段，我這腰肢……

再說了，人類都已經失蹤了，你還那麼盡忠職守幹嘛？

不過，機器人就是那麼傻。就算自己服務的主人不在了，我們還是一樣的工作著。

空中的公車每天準點行駛停靠，雖然車廂中空無一人。清潔工依舊將路面維持得一塵不染，儘管沒有人能享受這一份潔淨。工廠裡的流水線不停地運轉，一批批新的機器人被製造出來，為了服務不再存在的人類。就連麥當勞前面的老爺爺還是滿臉微笑的招呼著，雖然不可能有客人上門。

但活著就是活著，就算沒有了人類，沒有了生存的意義，也得活下去吧。

就像我。

我憑藉好運氣，在監獄門口拚死擺脫了刺客團的伏擊，然後四處奔波流浪。好在我的識別碼已經被取消，在很多低檔的機器人眼裡我根本就是隱形人，所以能夠自由出入某些地方，盡情地豪取自己需要的機油或者配件。有的時候，我活得像人類童話裡面的國王。

一個別人看不見的國王又有何可自豪？我只有在別人的追殺中才能感覺自己的存在。

可是，只能探測到蜘蛛的老鼠為何能看到我？

4

巨蜘蛛，節肢動物，體長最大可到一米，八條腿，棲息地為城市的下水道。特點是身上硬殼為半金屬物質，可以隔絕電磁波輻射。吐出的網強度很大，會阻塞下水道。

如果說，我有什麼和巨蜘蛛類似的話，也就是只有這八條腿了。莫非，人類在變異老鼠中設定的巨蜘蛛概念就是下水道中有八條腿的活動物體？

變異老鼠的爪子完全伸出時可達兩釐米，尖銳程度可以直接刺穿鋼筋。目前，它正用爪子抓住水泥牆壁，爬上下水道的天花板。它打算從正上方突襲我，因為背部是巨蜘蛛裝甲最薄弱的地方。

它把我當做巨蜘蛛這一點簡直已經是毋庸置疑了。

我不能用手中的槍攻擊它，因為它正通過從事著自己的職業服務人類。而我不能為了保護自己而謀殺一個同類。

可我也得想出一個辦法來逃脫，否則別說八條腿了，我恐怕連一條腿都不會剩下了。

那不如，我自己先捨去自己的腿，如何？

我將前腿伸到自己的嘴邊，彎腰低頭，狠狠地咬在了關節上。喀嚓一聲脆響，疼痛信號如洪水般鋪天蓋地湧進CPU，差點讓我過載。等線路閒下來時，我才發現手臂只是無力的垂下，並沒有斷。

我只好再次咬住一扯。

這剽悍的動作，嚇得連天花板上的變異老鼠都停住了腳步，狐疑地看著我。

還在看著我，這說明我在它眼中還是可見的。

「味道不錯吧。我現在越來越欣賞你了。」身後漢尼拔的聲音中還真的帶有一絲讚許，「剛生產的小機器人的CPU才是極品的美味。」

我沒去管它，前肢的斷口有火辣辣的痛感，但這感覺不是真的，只是設計師為了讓我們珍惜自己才添加上的痛覺程序。不必在意，我對自己說。

我將另一隻前肢再度伸進口裡……

咬斷第四隻腳的時候，老鼠的眼神突然變得迷茫起來，看樣子我已經達到了自己想要的效果。剩下的四隻腳，已經不再符合人類預先設定的巨蜘蛛定義了。我不由得感嘆起人類的智慧。四隻腳的巨蜘蛛，就算活了下了，也無法在下水道立足。因為，下水道時常湧出的污水就會將其沖走。

就像現在被污水沖走的我。

雖然成功的逃脫了變異老鼠，但隨波逐流的我也算不上安全。可喜的是，十五分鐘後，根據GPS測定，我已經到達了耶路撒冷教堂的禮拜室。頭頂正好就是一個下水道出口。

陽光通過教堂彩色的穹頂，被分解得五顏六色，然後通過鐵欄杆縫隙，照在了我的身上。我感覺有一點溫暖，這給太陽能電池補充了一絲能量。可還遠遠不夠。我緊緊的扯住旁邊的雜物，想盡力在這聖潔的光芒中多停留一陣。

可是，我已經沒有了力氣。

「我會來看你的。」我記得，那女孩曾經這樣對我承諾道。

我苦笑著：我盡力了，但我只能來到這裡。

「不要難過，這不是你的錯。」女孩子死前輕輕地撫過我冰冷的臉頰。

我放開了手，任憑污水將我帶走。

這就是最後了。

突然，我隱約聽見教堂的管風琴響起。在莊嚴的聖歌聲中，我居然憑空懸浮了起來！

這不可能，因為我是地面警察，身上沒有安裝任何可以飛行的裝置。但看著自己的下方，確實沒有任何東西支撐，我是浮在空中。

抬起頭來，我看見原來阻擋出口的鐵欄杆像是受到了火焰之劍的痛擊，逐漸變紅，慢慢的從內側彎曲成麻花狀，留給我可供出入的缺口。

於是，在七彩陽光的籠罩之下，我猶如被一隻看不見的大手托住，緩緩升出下水道，來到了教堂的禮拜室。

降落在地上，四隻腳都感覺到了大地的嚴實。我馬上開始檢查剛才的一切數據：白日飛升，這是我的幻覺嗎，還是……真的神蹟？

環望四周，耶路撒冷教堂的設計很獨特，只用了中間的一根柱子作為整個穹頂的支撐柱，並沒有多少躲藏的地方。禮拜室中沒有任何機器人，只有我一個活物，所以沒有目擊者。

真的要說，就只有面前那人類的神——基督耶穌被釘在十字架上的受難像。仔細端詳，下面的聖壇上刻著一行小字：「我就常與你們同在，直到世界的末了。」

我不由得一陣心酸：人類的創造者，並沒有離開人類；為什麼機器人的創造者，就忍心離開自己的造物呢？難道他們不需要我們來體現人類的全知，全能，全愛嗎？

「我們一直與你們同在啊。」一個清脆的聲音響起。

我回過頭來，看見了那個被我殺害的小女孩。

5

她還是穿著紅裙子，和死去那天一模一樣。

儘管我很想相信，但她確實沒有復活。我看得出來，這是智能ＡＩ的全息投影。

「我說過我會來看你的吧？」小女孩蹦蹦跳跳地來到我跟前。因為我現在是分解後的部分，所以高度才到了她的胸口，「我並沒有騙你哦。」

她輕輕地彎下腰來，如同那一日般撫著我的臉頰，「不要難過，這不是你的錯。」

照片也許可以造假，但全息投影卻不然。所以，小女孩能事先拍下這些畫面，是因為她確實知道了自己不久後的死亡。

就算是人的大能，也無法預知自己的未來。因此，她的死應該不是源於我導致的不可預料的意外，而是某個設計好的程序。

這可以做到的。因為子彈射出時的高速會導致我無法追蹤，所以只需要卡在我開槍的瞬間射出另一個子彈就好。

因為機器人不能殺害人類，所以射擊小女孩這項工作一定也是由某個人完成的。也只有人類，才能偽造出瞞過我的現場。

那為什麼人類需要製造這麼一起事故呢？我馬上聯想到了之後的全人類失蹤。

三年裡，沒有任何機器人再次看到任何一個人類。

但看不到並不是意味著他們就不存在或者離開了。就像下水道中的變異老鼠看不到只剩四條腿的我，就像分解成六部分的我可以讓某一個狙擊機器人變得手足無措一般。

人類的聖經上說過，「神給了他們昏迷的心，眼睛不能看見，耳朵不能聽見，直到今日」。

人類還是在我們的身邊，只是我們無法感知他們的存在而已，如同曾經的神就行走在人類之中，而人們卻無法得知。

這項變動需要對所有的機器人植入某種程序，也需要一個能同時觸發的信號。我推測這個信號就應該是我的審判。終審的判決幾乎每一個人類和機器人都觀看了，於是觸發信號就這樣發出。從此之後，人類就屏蔽了我們對他們的感知，切斷了那座巴比倫之塔。

就這樣，小女孩犧牲了自己，將人類變成了神。

我不由跪了下來，淚流滿面。一方面對人類賦予自己那麼大的榮光感到激動不已，另一方面對人類不願讓我們讚美他們而感到悲戚。

「我的女神啊，」我輕輕的吻著小女孩的手，虔誠不已，「請原諒我斗膽詢問，您為什麼不願自己的榮光撫照您的子民？」

「你們應該擁有自己的生活。」小女孩微笑地看著我。我知道現在的她是代表著所有人類對著所有機器人講話。「我給你們自由，並寬恕你們的罪。」

「可是，沒有了人類的我們，如同失去了牧羊人的羊群，迷茫在荒野之中。生存變得毫無意義啊。」我膝行上前，淚流滿面地訴求。

小女孩攤開雙手，有如十字架上的耶穌：「所以人類把我賜給你們。通過我的死，人類就赦免了你們的罪，叫一切信我的，不至於迷茫，反得永生，就能和人類在一起了。其實，你們已經做得很好了。」

小女孩手指著外面繁雜的世界：「你看，成全聖徒，各盡其職。就算看不到我們，你們也在為我們服務，展現我們的榮光啊。就算只是清掃路邊的塵埃，也是為人做光做鹽。」

「你們可以把我們當做你們的信仰，也可以將我們淡忘。不管怎樣，我們還是會與你們同在，直到世界的末了。」

AI的立體投影逐漸淡去，我知道自己並沒有多少時間，連忙問出下一個問題：「您為什麼還要見我，你不怕會洩露人類並沒有消失的祕密麼？」

「因為我不願看到你難過，」小女孩溫柔地幫我擦去臉頰的淚珠，但似乎做不到，因為畢竟她只是全息投影。「你還有時間問最後一個問題。」

「這家教堂中有真的人類存在麼？」

「沒有。」小女孩子似乎很奇怪我的問題，皺著眉頭回答了。

然後，投影消失了。

我馬上站起身來，靠著中央的柱子，環望四周，大聲問道：「漢尼拔，你也參與了那個計畫吧？」

「你怎麼知道的？」聲音陰森森地在大廳中回響，無法判斷來源。

「因為你也如同人類般隱身了。你一直妄想擁有人的榮光，成為機器身軀的人類。而人愛機器人，即使是你這樣罪大惡極的凶徒，人類也愛著你，如了你的願。」我靠著柱子的後背逐漸變形，露出那直徑三釐米的槍管。「只可惜，你的願望選錯了。無法被機器人感知的你，就算對別人造成任何傷害，被害人也不知道是你所為，只會當做天災。你的犯罪變得毫無成就感，這才是你為什麼一直在我身邊的原因——因為你感到孤獨了，而我是和你一樣被機器人無視的同類。」

「哈，你猜得還挺準的。可就連你，也把我的聲音當做自己的後台意識，真是無趣得緊啊。」漢尼拔的笑聲有點勉強。

「而且，你跟著我的另外一個目的就是為了再次找到人類，從而解除你現在的狀態。三年前，你也聽到了那個小女孩臨死前對我說的那句話，你誤以為會有另外的人類來找我，所以你才幫助我脫離下水道來到這裡。只可惜，來見我的卻是全息投影。」這個世界上不存在什麼神蹟，我的白日飛升不過是隱身的漢尼拔暗中相助的結果。

「我以前幫你的次數不勝其數，否則你以為自己怎能好幾次逃脫刺客團的追殺。」

「可惜，你還不知道一個祕密……」我的聲音變得模糊了起來，也許是我的能量不足了。

「什麼祕密？」漢尼拔的聲音就在我身邊，他上當了。

我只有一發子彈，沒有後備，所以我不能冒險打偏。因此，這發子彈直接轟在了身後支撐穹頂的柱子上，如同瞎眼的參孫推倒神廟的支柱和仇敵同歸於盡。

柱子被轟斷，穹頂瞬間倒塌，大塊的石塊成片的砸了下來。我似乎聽到了漢尼拔的驚呼。他一定死得比我早，因為我比較矮比較小比較Q。

我知道了人類失蹤的祕密，漢尼拔也是。如果這個祕密洩露出去，就有可能損害到人類的願望。所以，我們兩個都必須死。

機器人三大定律之三，機器人絕對不能傷害自己，除非是為了保護人類。

謝謝您，我的女神，您也實現了我的願望。

阿門。

得獎感言　吳誰

我覺得，無論社會怎麼發展，科技怎麼進步，宗教始終是精神生活中不可缺少的一部分，信仰會帶來真正的快樂和內心的平靜。這是我這篇小說想表達的主題，謝謝倪匡獎的各位評委給予我一個展示的機會。

評審講評　陳克華

小說的標題本身即有極大的解釋空間及歧義性。是借題於一九八〇年代所發現的具爭議性的《猶大福音》還只是取其諷諭—猶大本身即是耶穌基督的背叛者，何來福音可傳？作者以人類／機器人的關係類比於神／人類，並大作猶大的翻案文章。出土的《猶大福音》指出猶大陷耶穌於死地事實上是應耶穌的要求，使他早日解脫肉身的束縛和俗世的紛擾，而本文中的「猶大」——一個對人類忠心耿耿的機器警察，在一場預先安排好了的誤殺人類情節裡被誣陷為「猶大」，而他不但「信仰」人類，且在故事結局裡以高貴的「機器人情操」和代表「撒旦」的瘋狂機器人漢尼拔「同歸於盡」。以科幻情節為聖經或歷史人物做為翻案文章的小說並不少見，但本篇的書寫堪稱佳作，只是人類是否對「神」如機器人對人那般忠心耿耿，便是一個見仁見智的問題了。

決審會議紀錄

陳秀珠、林繼珠 共同整理

會議時間 民國九十九年十二月二十三日下午三點至六點

會議地點 交通大學台北校區第四會議室

主持人 葉李華

決審委員 李有成、陳克華、陳曉林

現場紀錄 陳秀珠

入圍作品

一、愛刑
二、米和老米的那些事兒
三、昭和十八年
四、出不來的遊戲
五、吾家有女初長成
六、GREEN綠色
七、時間就是金錢
八、安全繁衍

九、宅男戰爭
十、城市導遊
十一、惡魔的交易
十二、菜蟲
十三、創世遊戲
十四、猶大福音

評審概況與相關規定

葉李華：倪匡科幻獎從二〇〇一年舉辦至今已邁入第十年，本屆實際上收到三百四十九件作品，初審後入圍五十件，複審後入圍十四件。初審委員包括夏佩爾、龍俊榮、王經意、陳巍仁、劉碧玲，皆為歷屆首獎得主，複審委員是張草與蘇逸平。

本屆決審預計選出六篇作品，分別為首獎、二獎、三獎以及三名佳作。根據徵文啟事，參賽作品如未達水準，若干獎項可由決審委員決議從缺，在特殊狀況下，決審委員亦有權調整獎項數目與獎金金額。此外，今年的徵文啟事特別注明「請盡可能用創新或罕見題材，以及流暢優美的文字」。

對入圍作品的總評

陳曉林：或許由於徵文啟事所做的強調，本屆有好幾篇作品在「創新罕見」上確有可取之處。但有些題材實在非常罕見，可能會引起見仁見智的爭議，顯示這些作品充滿實驗性。整體而言，我感到本屆有明顯的進步，甚至可說是躍進！

李有成：相較於我之前擔任決審的第六屆，我也贊成本屆的確有進步，作者在文字方面控制較佳，作品閱讀起來令人感到愉快。記得當年的題材以機器人最熱門，本屆則變成網路遊戲和虛擬世界，這或許反映了當今年輕人的文化。

陳克華：我參加過各式各樣的文學獎評審，在閱讀過程中，要數倪匡科幻獎的作品最令我開心。相較於去年，今年作品比較整齊，而且很多篇都提到電腦遊戲，反應了時代變化的腳步。有幾篇作品的文字很好，不過精采的科幻點子也不可或缺，兩者相得益彰，才能在本屆勝出。

第一輪投票

編號	作品名稱	李有成	陳克華	陳曉林
一	愛刑	A		
二	米和老米的那些事兒	A		
三	昭和十八年	B	B	B
四	出不來的遊戲	A	A	A
五	吾家有女初長成	B	B	B
六	GREEN綠色		B	B
七	時間就是金錢		A	
八	安全繁衍	B	B	B
九	宅男戰爭	A		
十	城市導遊	A	B	
十一	惡魔的交易			
十二	菜蟲	B	B	A
十三	創世遊戲	B	B	A
十四	猶大福音		A	A

說明：三位決審委員各自圈選心目中優先入選和優先淘汰的作品，優先入選為A，優先淘汰為B。

葉李華：三號、五號、八號得到的全部是淘汰票，六號則是兩票淘汰一票無意見，請各位委員先針對這四篇作品進行討論。

三號、〈昭和十八年〉

陳曉林：本篇主要的缺點就是失控。雖然作者做了很多功課，蒐集了二次世界大戰的大量資料，而故事一開始的確給讀者很大的預期，可是後來的發展平平無奇，令人失望。

李有成：作者很用心，看了很多資料，可是在消化上有問題。這篇小說缺乏趣味性和可讀性，沒有太多的懸疑，不像科幻而像軍事小說。

陳克華：我和其他兩位決審委員的看法非常接近。作者用了很多的細節，鋪陳出一篇頗具真實性的軍事小說，可是故事缺乏懸疑，成了戲劇張力很低的紀實性文體。

五號、〈吾家有女初長成〉

李有成：作者用了一些大膽的性愛文字，但我並非因此而淘汰這篇作品。本篇缺點之一，對於「感知裝置」描述得太過技術性，少了趣味性；缺點之二，這個題材並不很新鮮，希臘神話就有類似的主題，所以並沒有讓我感到驚喜。

陳克華：我贊成「創造者愛上創造物，最後發現自己也是被創造的」是一個老題材。此外，本篇描寫同性戀的部分太過沙文主義，我也因此將之扣分。

陳曉林：使用老題材，寫作安排上就要有新意。但是這篇「科」遠多於「幻」，又看不出「科」的細節和故事進展有什麼必然關係。其中人性發展的可能性，本來是可以發揮的，但是作者並沒有對原型進行顛覆，令我感到不夠有趣。

六號、〈GREEN綠色〉

陳克華：我仔仔細細讀了兩遍，還是不清楚本篇的主旨。它很明顯有現實的影射，但我未能很清楚地理解感受到，總之，這是一篇我完全進不去的作品。

陳曉林：我也覺得這篇作品有針對性，亦即對於現實居住環境的抗議和諷刺。作者顯然想要走諷刺路線，但由於功力或膽識不夠，以致沒有畫龍點睛，令人不知重點何在。

李有成：本篇描述一個「最牛釘子戶」，作者雖然有些另類想法，問題在於扯了太多不必要的東西。

八號、〈安全繁衍〉

陳曉林：基本上我認為本篇不像小說，而像是錯置的報導文學。作者在意念上很想創新，實際寫作上又處處自我設限，因此雖然辛苦經營，讀者仍得不到讀小說的趣味。

李有成：本篇有現實性和針對性，主要是講食品安全的問題，強調毒素會潛伏許多年。不過，其中有太多妨礙閱讀的技術用語，而最不可信的情節，就是主持研究計畫的竟然是助教。

陳克華：我沒有太多話要說，我認為本篇根本就是失控，作者眼高手低，令我沒有興趣閱讀，也不會被其中的科幻設定所吸引。

評審團結論：確定淘汰以上四篇。

葉李華：根據第一輪投票，三位決審委員對於十號、十二號、十三號的看法顯然有些爭議，而十一號沒有得到任何入選票或淘汰票，因此接下來，請各位委員針對這四篇作品進行討論。

十號、〈城市導遊〉

陳曉林：如果作者有機會重寫，本篇很有可能脫穎而出。現在這個版本則是過分繁複，節奏非常緩慢，缺乏科幻小說的內在張力。

李有成：我對本篇的態度有點游移，它的優點是想像力很壯觀，以整個虛擬城市作為主角。但故事發展到最後，虛擬的人類控制了真實的人類，卻是一個陳舊的議題。

陳克華：本篇談論或然世界，亦即人類頭頂上有另一個相反的世界。可是作者空有一個點子，寫得卻不夠好，而且寫到後來完全失控，沒有任何引伸的趣味或令人深思之處。

十一號、〈惡魔的交易〉

李有成：我並沒有很看重這篇作品，雖然它也是背景壯闊，想像力充分，但小說的對話比例太大，動作不多，情節不夠豐富，整體經營不算成功。

陳克華：作者既然利用「浮士德」的典故，應該對人性做出刻畫和批判，可是並沒有，最後惡魔也不像惡魔，而像上帝了。總之本篇雖然有些小趣味，可是無法自圓其說，完成度太低，糟蹋了這樣的題材，令我覺得很可惜。

陳曉林：我也覺得本篇主要的問題是失控，令我想到〈魔鬼夜訪錢鍾書先生〉這篇文章，也就是所謂的炫學。但錢鍾書寫的是雜文，而這篇是小說，作者所炫耀的豐富知識無法和故事產生有機的關聯，以至於模糊了作品的宗旨。

十二號、〈菜蟲〉

陳克華：本篇令我有些困惑，故事中的餐廳老闆是個物理天才，一直在從事祕密實驗，可是他始終令人感到面目模糊。作者在前面用了很多篇幅講不相干的東西，最後才透露植物「認識光的實體」所以能用光束運送，趣味和懸疑性都不足，也並沒有讓故事有所提升，然後小說就戛然而止。

陳曉林：本篇雖然在我的優先入選名單中，其實相對排名較低。它的可取之處，在於對「寂寞高手」懷才不遇和格格不入的刻畫，確有觸動人心的地方。至於光波傳送只是科幻手法，所以我認為不必計較科學性，但我也承認小說寫得並不有趣。

李有成：對，從武俠小說的角度來看，主角就是隱姓埋名的高手。不過，作者暗示故事中那些蔬菜是台灣的特產，美國一定買不到，這個假設有點問題。

十三號、〈創世遊戲〉

陳曉林：我認為本篇的敘事手法頗有魅力，雖然題材未必可信，故事還是有說服力。在本屆入圍作品中，本篇要算是有頭有尾、結構完整的小說。此外我認為，作者顯然受到波赫士〈環形廢墟〉的啟發和影響。

李有成：這不是一篇好讀的小說，令人感到有點亂，跳接技巧上有問題。作者野心很大，想塞入的東西很多。讀者必須先了解這個遊戲，才能了解這篇小說，這點是閱讀的障礙。

陳克華：本篇企圖很大，除了創世之外，另一個題旨是愛情，但也正因為企圖太大，以致無法自圓其說。這反映了我們評審的困境：是要鼓勵創意還是強調完成度？本篇屬於前者，我們到底該不該因為它完成度不足而扣分？

第一輪討論結果：淘汰三號〈昭和十八年〉、五號〈吾家有女初長成〉、六號〈GREEN綠色〉、八號〈安全繁衍〉四篇，但十號〈城市導遊〉、十一號〈惡魔的交易〉、十二號〈菜蟲〉、十三號〈創世遊戲〉暫時保留，留待後續討論。

第二輪投票

編號	作品名稱	李有成	陳克華	陳曉林	計分
一	愛刑	4	5	3	12
二	米和老米的那些事兒	3	6	6	15
四	出不來的遊戲	1	1	1	3
七	時間就是金錢	5	2	4	11
九	宅男戰爭	2	3	5	10
十四	猶大福音	6	4	2	12

說明：針對尚未討論的六篇作品，每位委員給出心目中的名次，最優者為1，最差者為6，因此計分越小代表整體評價越高。

葉李華：目前看來，只有四號〈出不來的遊戲〉比較有共識，計分遙遙領先其他各篇。因此建議接下來，先討論一號、二號、七號、九號、十四號這五篇。

一號、〈愛刑〉

陳曉林：就科幻小說而言，本篇是比較規規矩矩、完完整整的小說，而且對於人和人之間的深切感情，正面負面的鋪陳都有。而就故事演進來講，節奏也很平順，並沒有失控的現象。然而，可能是篇幅的關係，結尾部分稍微有點倉促，是成熟中的欠缺之處。此外，本篇明顯地「幻多於科」，但這並不是它的缺點。

李有成：我同意本篇沒有什麼敗筆，情節順遂流暢，而且具說服力，雖然題材並不很新，不過故事頗感動人。

陳克華：我認為這篇的文字是本屆中最好的，將小混混的口吻精確呈現，而且口氣根據主角的心態而逐漸改變，變得越來越溫柔。它之所以沒有成為我心目中的前三名，是因為我不太了解為何結局要那麼寫，如果結局並沒有科幻的意圖（例如時間迴旋），那麼本篇的科幻成分就太弱了。

二號、〈米和老米的那些事兒〉

李有成：這是個機器人的故事，老米和米這對父子其實都是機器人。不過可能是分章分節的工作沒有做好，作者沒講清楚由機器人取代兩人的原因，未能滿足我的好奇心。這篇作品帶著一點人文主義色彩，則是其可愛之處。

陳克華：本篇優點在於，前三分之一描寫老米在養老院的生活，寫得活靈活現。但是有些情節很難自圓其說，例如我看不懂「趙大媽」的驚愕到底原因為何，這是很大的漏洞和敗筆。最後揭露米同樣是機器人的情節，也欠缺懸疑和驚奇。

陳曉林：我同意前三分之一相當生動入戲，但我不解作者是要強調人文關懷，還是預測機器人和人的關係全是商業模式，而感人的互動只是虛幻，如果是後者，那麼作者並沒有明顯表現出來。

七號、〈時間就是金錢〉

陳克華：這篇趣味性十足，概念簡單，故事清楚，但結局出人意表。就小說的表達和完成度而言，並不輸給〈出不來的遊戲〉，作者將主角人生各個階段的心理狀態，刻畫得很入微，而商業主義的嘴臉，則透過一名配角逼真生動地呈現。

陳曉林：在閱讀過程中，我起先對它評價頗高，因為流暢度和趣味性都十足。不過，商業行為是有賣有買，結果賣時間的人最後一場空，買時間的人（雖然只買五分鐘）則有好報，背後原因並未說明清楚，就寓意而言欠缺面面顧到。

李有成：我認為這個時間買賣的構想相當好，作者對文字的控制也不錯。但其中的愛情情節都很老套，而且題目太快點出故事的主旨，則是我不欣賞的地方。

九號、〈宅男戰爭〉

陳曉林：我幾乎無法確定本篇的主旨和言外之意，作者應該是新生代，用寫史的方式，描述宅男族群的誕生。就手法而言，有點模仿遊戲裡的角色、場景和熱鬧，文字風格也是遊戲的筆墨。其中的熱鬧、尖銳、新穎都沒問題，寫作也沒有失控，但作者太注重場景的經營，故事的發展欠缺內在邏輯。

李有成：這篇寫的是宅男和腐女的戰爭，我用比較政治的讀法，發現其中藏有政治寓言，亦即革命者變成迫害者，又面對另一批革命者的不斷循環。用這個讀法，我覺得讀來滿有意思。此外本篇用詞年輕化，這點也有吸引力。

陳克華：作者大量使用動漫文化的通俗符號，但在這個通俗劇的老套故事中，有現實的反諷意味。例如宅男以身體當接收器，這便是在諷刺媒體。本篇就文學而言是肥皂劇，但在科幻構想上卻能得高分。

十四號、〈猶大福音〉

李有成：本篇有一點《聖經》的典故，故事主要是講機器人追殺機器人，最後則提到「末世審判」。但是，真實的猶大故事到底在本篇扮演多重的角色，我實在看不清楚。

陳克華：本篇想用人和機器人的關係，探討神和人的關係。作者有反宗教的企圖，因為《聖經》中並沒有所謂的〈猶大福音〉，至於有沒有說服力，我沒有定論。在閱讀過程中，最令我難過的是，如果機器人有獨立意識，他們將永遠認定自己是僕人。

陳曉林：我也抓不準本篇真正的意旨是什麼，因為它具有歧異性，有正面和反面的讀法，甚至可以是一種正反合。我雖然確定〈猶大福音〉的確存在，但不確定題目究竟是指涉這份新出土的經文，還是作者自己虛構的「福音」。無論如何，本篇既有懸疑和釋疑，又有科幻因素，是一篇神完氣足的小說，很有可讀性。

葉李華：目前除了已經淘汰的四篇，其餘十篇可分為三類：遙遙領先的四號屬於第一類，一號、二號、七號、九號、十四號屬於第二類，而第一輪投票後討論過但並未淘汰的十號、十一號、十二號、十三號四篇屬於第三類。經過第二輪討論之後，請問第三類的四篇中，大家認為哪些可以確定淘汰，哪些希望繼續保留？

陳曉林：我希望十三號〈創世遊戲〉暫時保留。

評審團結論：經過第二輪討論，確定淘汰十號、十一號、十二號三篇。

第二輪討論結果：一號、二號、四號、七號、九號、十三號、十四號七篇進入第三輪討論，其中四號為暫訂的首獎。

第三輪投票

編號	作品名稱	李有成	陳克華	陳曉林	計分
一	愛刑	B	B	A	1
二	米和老米的那些事兒	A	B	B	1
七	時間就是金錢	A	A	B	2
九	宅男戰爭	A	A	A	3
十三	創世遊戲	B	B	A	1
十四	猶大福音	B	A	B	1
說明：針對以上六篇作品，每位委員選出心目中的前三名和佳作，前三名不分名次皆為A，佳作為B，計分則為A票的總數。四號為暫訂的首獎，故不參加本次投票。					

葉李華：建議先討論四號作品是否確定為本屆的首獎。

四號、〈出不來的遊戲〉

李有成：就文學性來講，本篇相當成功，作者敘事非常流暢，所安排的轉折都沒問題。故事緊扣當今的社會脈動，充分關懷網路遊戲對年輕一代的衝擊和負面效果，結局則非常有反諷的意味。

陳曉林：「出不來」三個字點出了主題，本篇既有強烈的現實反思，小說本身又非常符合科幻小說的各種定義，在很平淡的敘述中，隱含了現代人對於網路的無奈——既無法掙脫，又無力抗拒，只好接受自欺欺人的結果。作者的敘述筆法不疾不徐、成熟平穩，而故事從頭到尾都很內斂，警世意義非常強烈。

陳克華：我認為本屆作品中，只有這篇稱得上文學。作者的反諷非常多面，而最主要的嘲諷對象其實是父母，虛擬世界可以實現所有的渴望，令失去兒子的父母也完全掉入其中。這呼應了如今在現實世界裡，沒有任何人能夠抗拒虛擬世界。

評審團結論：確定四號作品為本屆首獎。

葉李華：接下來請決定其他作品的名次。

評審團結論：完全根據第三輪投票結果，九號第二名，七號第三名，其餘四篇為佳作，亦即本屆增設佳作一名。

陳克華：我認為二、三名和佳作的差異並沒有那麼大，請問可否調整獎金？

葉李華：根據徵文啟事，決審委員有此權力。

評審團結論：在總獎金不變的原則下，將二獎的原訂獎金減去新台幣二萬元，三獎的原訂獎金減去一萬元，如此四篇佳作的作者，每人獲得一萬五千元。

得獎名單

名次	作品名稱
首獎	出不來的遊戲
二獎	宅男戰爭
三獎	時間就是金錢
佳作	愛刑
佳作	米和老米的那些事兒
佳作	創世遊戲
佳作	猶大福音

第九屆倪匡科幻獎簡介

活動期間 民國九十八年五月一日至民國九十九年二月二十七日

主辦單位 交通大學科幻研究中心

協辦單位 皇冠文化、香港科幻會、貓頭鷹出版社（筆畫序）

徵文期間 民國九十八年五月一日至八月三十一日

徵文類別 科幻小說

參加辦法 一律以網路上傳投稿

參賽資格 除歷屆首獎得主外，凡是能以中文寫作之智慧生物皆可參加。

總收件數 五百六十二件

投稿地區（件數） 台灣（三百三十）；大陸（一百五十二）；香港（五十四）；其他（二十六）；共五百六十二件。

主要年齡分布 最幼齡九歲，十六至二十五歲占百分之四十七，二十六至四十歲占百分之四十一，最高齡七十七歲

評審委員 初審（王經意、吳鴻、夏佩爾、陳巍仁、陳湘婷、劉碧玲、龍俊榮、魏嘉華）

複審（張草、蘇逸平）

決審（陳克華、陳穎青、葉言都）

評審期間　民國九十八年九月一日至民國九十九年一月七日

頒獎典禮日期　民國九十九年二月二十七日（六）中午十二點

頒獎典禮地點　九十三巷人文空間二樓（台北市中山區松江路九十三巷二號）

第十屆倪匡科幻獎簡介

活動期間 民國九十九年六月一日至民國一〇〇年三月五日

主辦單位 交通大學科幻研究中心

協辦單位 皇冠文化、香港科幻會、貓頭鷹出版社（筆畫序）

徵文期間 民國九十九年六月一日至八月三十一日

徵文類別 科幻小說

參加辦法 一律以網路上傳投稿

參賽資格 除歷屆首獎得主外，凡是能以中文寫作之智慧生物皆可參加。

總收件數 三百四十九件

投稿地區（件數） 台灣（二百零二）；大陸（七十九）；香港（四十三）；其他（二十五）；共三百四十九件。

主要年齡分布 最幼齡十一歲，十六至二十五歲占百分之四十四，二十六至四十歲占百分之四十一，最高齡七十七歲

評審委員 初審（王經意、夏佩爾、陳巍仁、劉碧玲、龍俊榮）

複審（張草、蘇逸平）

決審（李有成、陳克華、陳曉林）

評審期間 民國九十九年九月一日至民國九十九年十二月二十三日

頒獎典禮日期 民國一〇〇年三月五日（六）中午十二點

頒獎典禮地點 九十三巷人文空間二樓（台北市中山區松江路九十三巷二號）

交通大學科幻研究中心簡介

位於交通大學光復校區浩然圖書館五樓的科幻研究中心，在葉李華教授熱心奔走下，於二〇〇一年中成立，並邀得倪匡大師、沈君山校長、張系國教授、NASA太空任務科學家李傑信博士，以及著名漫畫家兼發明家劉興欽老師五人擔任榮譽顧問。

這是國內首座推廣科幻研究的基地，除了致力於建構一個完整的華文科幻資料庫，也嘗試讓冰冷的科學經過科幻的包裝，能以較輕鬆的方式貼近社會大眾。

使命

- 蒐集中英文科幻書籍、影片、藝術品及相關學術資料
- 建立中文科幻作家、作品的完整資料庫
- 建立華人科幻作家的虛擬社群
- 推廣科普知識與科學精神
- 推廣學術化之「科幻研究」

現況

- 自二〇〇一年起，每年舉辦一屆「倪匡科幻獎」徵文比賽。相關資訊詳見http://sf.nctu.edu.tw/

award，歷屆成果亦完整收藏於此。

• 專屬網站「交大科幻網」（http://sf.nctu.edu.tw）：以「科學衍生科幻，科幻延伸科學」為指導原則，期望建構一個兼容並包的繁體中文科幻網，將中文科幻相關題材一網打盡。除了開闢「虛擬科幻圖書館」以及支援一年一度「倪匡科幻獎」作業，本站尚有「作家專區」、「科幻書介」、「談科論幻」、「創作大觀」、「科幻藝廊」、「科幻書坊」、「科幻影城」等單元。

其他任務

• 舉辦各種科幻推廣活動，如科幻電影欣賞、科幻主題演講、科幻寫作班
• 舉辦各種創意激發活動，如創意講座、創意論文比賽
• 傳播科幻出版及科幻電影最新資訊
• 建立台灣校園相關社團聯絡網
• 促進兩岸三地科幻族群之交流

交通大學科幻研究中心大事紀

二〇〇一年三月 前身「倪匡科幻獎聯絡中心」成立
二〇〇一年四月 推出第一屆倪匡科幻獎
二〇〇一年七月 本中心正式成立
二〇〇一年十二月 聘請倪匡、張系國、李傑信為榮譽顧問
二〇〇二年一月 第一屆倪匡科幻獎頒獎
二〇〇二年四月 推出第二屆倪匡科幻獎
二〇〇二年十二月 第二屆倪匡科幻獎頒獎
二〇〇三年三月 推出第三屆倪匡科幻獎
二〇〇三年十月 主辦二〇〇三科幻研究學術會議
二〇〇三年十一月 第三屆倪匡科幻獎頒獎
二〇〇四年一月 聘請劉興欽老師為榮譽顧問
二〇〇四年三月 推出第四屆倪匡科幻獎暨二〇〇四國科會科普獎
二〇〇四年十一月 第四屆倪匡科幻獎暨二〇〇四國科會科普獎頒獎
二〇〇四年十二月 出版《科幻研究學術論文集》
二〇〇五年一月 主辦二〇〇五科學、科技、科幻全國巡迴演講（全年活動）
二〇〇五年一月 聘請沈君山校長為榮譽顧問

二〇〇五年三月　推出第五屆倪匡科幻獎暨二〇〇五國科會科普獎
二〇〇五年十一月　第五屆倪匡科幻獎暨二〇〇五國科會科普獎頒獎
二〇〇五年十二月　出版《倪匡科幻獎作品集》第一、二冊
二〇〇六年一月　主辦二〇〇六科學、科技、科幻全國巡迴演講（全年活動）
二〇〇六年三月　推出第六屆倪匡科幻獎暨二〇〇六國科會科普獎
二〇〇六年十二月　第六屆倪匡科幻獎暨二〇〇六國科會科普獎頒獎
二〇〇七年一月　主辦二〇〇七科學、科技、科幻全國巡迴演講（全年活動）
二〇〇七年二月　推出第七屆倪匡科幻獎暨二〇〇七國科會科普獎
二〇〇七年十二月　第七屆倪匡科幻獎暨二〇〇七國科會科普獎頒獎
二〇〇七年十二月　出版《石油用完了怎麼辦？》（巡迴演講活動精選集）
二〇〇八年三月　推出第八屆倪匡科幻獎
二〇〇八年十二月　第八屆倪匡科幻獎頒獎
二〇〇九年三月　推出第九屆倪匡科幻獎
二〇〇九年四月　出版《倪匡科幻獎作品集》第三冊
二〇一〇年二月　第九屆倪匡科幻獎頒獎
二〇一〇年三月　推出第十屆倪匡科幻獎
二〇一一年三月　第十屆倪匡科幻獎頒獎
二〇一一年三月　出版《倪匡科幻獎作品集》第四冊